BIBLIOTHEEK BREDA
Centrale Bibliotheek
Molenstraat 6
4811 GS Breda

D0492899

El Cid

Mythe en legende
van het middeleeuwse Spanje

CLASSIC
PRESS
PUBLISHING

Dit boek is fictioneel. Namen, personages, plaatsen en gebeurtenissen zijn een product van de fantasie van de auteur, of zijn fictioneel gebruikt. Iedere overeenkomst met ware gebeurtenissen, plaatsen of personen (levend of dood) berust op toeval.

Oorspronkelijke titel: El Cid
Tekst: Philip Yordan

Vertaald door: J. Rutten
© 1983 Ned. vertaling: Loeb uitgevers, Amsterdam

Herziene uitgave:
© 2006 Uitgeverij Classic Press Publishing
(imprint van Weton-Wesgram BV),
Oud-Beijerland

Internet: www.classicpress.nl
Bewerkt door Els Musterd – de Haas
Omslagontwerp: Nauta & Haagen, NL
Vormgeving binnenwerk: Solid-ontwerp.nl

ISBN -10: 90-8720-004-8
ISBN -13: 978-90-8720-004-6
NUR 342

Behoudens de in of krachtens de Auteurswet van 1912 gestelde uitzonderingen mag niets uit deze uitgave worden verveelvoudigd, opgeslagen in een geautomatiseerd gegevensbestand, of openbaar gemaakt, in enige vorm of op enige wijze, hetzij elektronisch, mechanisch, door fotokopieën, opnamen of enige andere manier, zonder voorafgaande schriftelijke toestemming van de uitgever.

Voor zover het maken van reprografische verveelvoudigingen uit deze uitgave is toegestaan op grond van artikel 16 h Auteurswet 1912 dient men de daarvoor wettelijk verschuldigde vergoedingen te voldoen aan de Stichting Reprorecht (postbus 3060, 2130 KB Hoofddorp, www.reprorecht.nl). Voor het overnemen van gedeelte(n) uit deze uitgave in bloemlezingen, readers en andere compilatiewerken (artikel 16 Auteurswet 1912) kan men zich wenden tot de Stichting PRO (Stichting Publicatie- en Reproductierechten Organisatie, Postbus 3060, 2130 KB Hoofddorp, www.cedar.nl/pro).

El Cid

Legendarische held
van het middeleeuwse Spanje

Philip Yordan

BIBLIOTHEEK BREDA
Centrale Bibliotheek
Molenstraat 6
4811 GS Breda

Inhoud

De omweg

Waarin Rodrigo Díaz zijn bruiloft misloopt,
vijf Moren bevrijdt,
en zich een vriend voor het leven maakt...

Spanje...
In de elfde eeuw na de geboorte van Christus... Een door oorlogen verscheurd en ongelukkig land, verdeeld in vele kleine koninkrijkjes; in 't noorden christelijk, in 't zuiden Moors... christenen en Moren hadden elkaar altijd naar het leven gestaan; bloedige oorlogen voerend, moordend en brandstichtend – een spoor van verwoeste dorpen achter zich latend. De wanhopige bevolking snakte naar rust en naar een bestaan dat niet voortdurend door moord en doodslag werd bedreigd.

Dit is de geschiedenis van een man die in staat zou blijken zich boven de godsdienstige geschillen te verheffen en die – althans tijdelijk – vrede zou brengen over Spanje en vriendschap tussen de verschillende bevolkingsgroepen. Zijn erenaam, 'El Cid', de Meester, zou door de eeuwen heen onder de Spanjaarden blijven voortleven als die van een legendarische en nooit geëvenaarde held. Rodrigo Díaz heette hij en hij kwam uit Bivar, een idyllisch gelegen plaatsje, niet ver van Burgos.
Met een helder inzicht in Spanje's eigenlijke belangen, wist hij na veel strijd het wantrouwen tussen de op het schiereiland wonende Moren en christenen op te heffen, en liet hij hen gezamenlijk optrekken tegen de gemeenschappelijke vijand uit die dagen: de op verovering en uitbreiding van haar macht beluste dynastie Almora-

viden uit Noord-Afrika, onder leiding van Ben Yusof.
Die islamitische fanaticus liet niet na elke gelegenheid die zich voordeed aan te grijpen om de in Spanje wonende emirs tegen de christenen op te hitsen.
Nadat hij, met de Koran in de ene en het zwaard in de andere hand, het noorden van Afrika aan zich had onderworpen en een machtig koninkrijk had gesticht in Marokko, maakte hij zich op om Spanje tot springplank te maken voor de verovering van Europa.
Hij koesterde een diepe afkeer tegen zijn in Spanje wonende geloofsgenoten. Verkozen die niet een weelderig bestaan boven de verbreiding van het geloof?
Bevorderden zij niet de schone kunsten en de wetenschappen, in plaats van te vuur en te zwaard het christendom te vernietigen?
Op het moment dat ons verhaal begint, bevindt Ben Yusof zich te midden van een aantal van die 'zwakkelingen'. Aan hem is alles zwart. Zwart zijn kleding; zwart zijn hoofdbedekking; zwart de stof die zijn gezicht bedekt en alleen twee koolzwarte, fanatiek schitterende ogen vrijlaat.
Een hoge, magere gestalte, scherp afgetekend tegen de blauwe hemel, die met een beschuldigende vinger naar de voor hem op de grond zittende emirs wijst.
'Als men over u spreekt, dan spreekt men over dichters, muzikanten, dokters, geleerden! Wáár zijn uw krijgslieden? Hoe durft u zich nog zonen van de profeet noemen? U bent een stel vrouwen! Verbrand uw boeken! Maak krijgslieden van uw dichters!
Laat uw dokters nieuwe vergiften samenstellen voor onze pijlen, uw geleerden nieuwe oorlogsmachines uitvinden en dan...'
Hij strekt zijn handen bezwerend uit. De zwarte cape wappert achter hem aan. Zijn gestalte biedt een demonische aanblik. De koolzwarte ogen flitsen vol razernij van de een naar de ander.
Schel schiet zijn stem uit: 'Moord! Brand!'
Het lichaam van die bezetene trilt van emotie als hij zich opmaakt voor een laatste appèl aan de gewetenswroeging van die godsdienstverzakers.

'Ongelovigen bevinden zich aan uw grenzen! Bevorder onderlinge strijd en als ze zwak zijn en verscheurd, dan ruk ik met mijn troepen op uit Afrika en zal het Rijk van de enige God, de ware God Allah, doen zegevieren! Eerst in Spanje! Dan in Europa! Daarna... in de hele wereld!'
Zijn toehoorders zijn onrustig geworden. Ze zijn opgeschrikt door de woorden, die als zweepslagen op hen neerdaalden. Hun bloed stroomt sneller door hun aderen. Hun geweten is wakker geschud. Het beeld, van een de wereld beheersend mohammedaans geloof, lijkt een ideaal waarvan de verwezenlijking geen uitstel toelaat.
Ze buigen zich diep voorover, totdat hun voorhoofd de grond raakt en prevelen een gebed. Eén stem klinkt klaaglijk boven de andere uit.
'Allah is de barmhartige
Allah is de alwetende
Allah is de al-sterke
Allah is de mededogende
Er is geen God dan Allah
En Mohammed is zijn profeet!'
Na aldus de profeet hun toewijding te hebben bewezen, stijgen de emirs met hun gevolg op hun paarden en gaan op weg om de brand te steken in het eerste het beste christendorp dat ze tegenkomen.
Want Allah mag dan al mededogend en barmhartig zijn – zijn volgelingen waren het zeker niet.

Op weg naar zijn bruiloft stuit Rodrigo Díaz, de jonge edelman uit Bivar, met zijn manschappen op de brandstichtende emirs. Na een korte strijd weet hij vijf van de leiders gevangen te nemen. Een stok wordt horizontaal in hun nek gelegd; hun armen worden er gespreid aan vastgebonden. Zo zijn ze volkomen overgeleverd aan de genade of ongenade van hun overwinnaar.
Vol wrok bekijken Rodrigo's mannen de gevangenen.
Moordenaars en brandstichters zijn het, die niet beter verdienen dan een strop aan de hoogste boom!

Na de gevangenen onder de hoede van zijn soldaten te hebben achtergelaten, bekijkt Rodrigo het geteisterde dorp. De vlammen slaan uit de huizen, die krakend in elkaar storten.
Weer zijn vele mannen, vrouwen en kinderen omgekomen en dat nog wel op de dag die de mooiste van zijn leven had moeten zijn. Het is hem triest te moede. Moord, brand en bloedvergieten – altijd weer opnieuw.
Moren tegen christenen, christenen tegen Moren.
Zo was het altijd al geweest. Moest het altijd zo blijven? Zou het niet mogelijk zijn vreedzaam naast elkaar te leven? Waren er dan alleen maar punten van verschil en geen van overeenkomst?
En Jimena wachtte.
Jimena, zijn aanstaande bruid. De mooiste vrouw van heel Spanje. Zeker zou zij al gekleed zijn voor de plechtigheid, en wachten op een bruidegom die maar niet op kwam dagen. Mooi zou ze zijn in vlekkeloos wit. En zie zijn eigen trouwkledij eens aan – vol stof en bloedvlekken. Het is hem te moede of zijn huwelijk besmeurd is nog voor het is voltrokken. Rodrigo is de kerk genaderd, waarvan het dak al is ingestort.
Hij ziet een oude geestelijke bij het kruisbeeld geknield: het lichaam van Jezus doorboord met moorse pijlen.
Don Pedro is verdiept in gebed en hij hoort Rodrigo niet komen.
'Hemelse vader... we zijn verloren in duisternis... onze steden worden vernietigd, onze mensen gevangen genomen... help ons vader... zend ons iemand om ons naar het licht te voeren...'
Ontroerd gaat Rodrigo naar de geestelijke toe en legt zijn hand op diens schouder. 'Vader.'
Don Pedro kijkt op en Rodrigo ziet het verdriet van de weerloze, oude man. Hij slaat zijn arm om hem heen en helpt hem overeind.
'Kom, vader... Uw dorp konden we niet redden, maar de leiders hebben we gevangen.'
Verwonderd bekijkt Don Pedro de jongeman. Zijn kleding verraadt dat hij niet op de strijd was voorbereid. Hoe speelde hij het

klaar de aanstichters van de verwoesting gevangen te nemen?
'Wie bent u?'
'Rodrigo Díaz van Bivar.'
'Van Bivar? Dan bent u wel ver van huis, señor, en niet gekleed voor de strijd.'
'Ik was op weg naar mijn bruiloft, vader...'
'Hoe bent u dan hier terechtgekomen?'
'Ik dacht dat dit de kortste weg naar mijn bruid zou zijn.'
Rodrigo wil de geestelijke van die troosteloze plaats wegvoeren, maar hij voelt de weerstand van de oude man. Hij wil zijn kruisbeeld zo niet achterlaten. Samen wrikken ze de pijlen uit het houten lichaam en Rodrigo maakt het los van de kettingen waarmee het aan de pilaren is bevestigd. Met het beeld op zijn schouder en Don Pedro aan zijn zijde keert hij terug bij zijn mannen.
Hij wordt verwelkomd door zijn adjudant, Fañez.
'Alles is gereed, heer. Zullen we ze ophangen?'
Allerlei gedachten gaan door Rodrigo's hoofd.
Zeker, ophangen, dat is wat men verwacht. Strijden, gevangenen maken, met aan het eind een lus aan de tak van een boom. Tot dat het moment komt dat ze zélf aan die tak bungelen.
Terwijl hij die gedachten overweegt, stijgt, op de achtergrond, de verbazing over zijn eigen geestestoestand. Tot dusverre had hij zich nooit beziggehouden met de gevolgen van zijn daden. Vijanden moesten onschadelijk gemaakt worden en de gevaarlijkste opgehangen!
Zo was het altijd geweest. Was het zo niet goed?
Jimena! De beeltenis van zijn bruid doemt voor hem op. Hij ziet haar hartvormige gezichtje, de groene ogen met de dichte, zwarte wimpers aan de doorschijnende oogleden. Het was immers zijn trouwdag! Welke sterveling heeft er op zo'n dag behoefte aan om vijanden te maken? Vrienden had men nodig! Maar Fañez en de morrende mannen wachten op antwoord: moeten de gevangenen opgehangen worden?
'Neen Fañez,' beslist Rodrigo, 'ze gaan met ons mee naar Bivar!'

Rodrigo oogst een goedkeurende blik van Don Pedro, wiens kruisbeeld op een paard wordt gebonden. En zo gaat de stoet op weg naar Bivar.

De wind heeft het bericht dat Rodrigo en zijn mannen een aantal emirs gevangen hebben, naar Bivar gebracht. De bevolking, begerig hun aartsvijanden te lijf te gaan, loopt hen met stokken en hooivorken tegemoet.
Rodrigo's vader, Don Diego, zelf eens een geducht strijder en campeador aan het hof van koning Ferdinand, loopt aan het hoofd van de stoet woedende burgers. Hij probeert hen tot kalmte te manen. Niet zij kunnen beschikken over het lot van de gevangenen, maar zijn zoon. Dan staan vader en zoon oog in oog.
'Welkom thuis, mijn jongen,' zegt Don Diego eenvoudig.
'Ik breng u een paar Moorse gevangenen...'
'We verwachtten niet zulke bruiloftsgasten. Houd je ze als gijzelaars?'
'Het zijn uw gevangenen, heer.'
'Maar nee, het is jouw vangst. Jij moet beslissen wat er met hen moet gebeuren.'
'Hang ze op! *Nu!'* schreeuwt Fañez woest. De menigte begint mee te schreeuwen en op te dringen.
De gevangenen zien de dreigende massa naderbij komen. De trotse Moutamin, met zijn smalle, aristocratische gezicht, laat het tumult zwijgend langs zich heen gaan, maar de onbetrouwbare Al Kadir, wiens ogen achter de vetkwabben van zijn wangen nauwelijks zichtbaar zijn, probeert Rodrigo te paaien.
'Wij zijn emirs, koningen... U kunt een groot losgeld voor ons bedingen.'
Rodrigo loopt naar hem toe. 'Het doden gaat u gemakkelijk af; sterven schijnt u minder te liggen.'
'Om u de waarheid te zeggen, heer Rodrigo, ik ben nog niet helemaal voorbereid... ik heb nog een weinig tijd nodig... als het u zou behagen...'

Moutamin valt hem in de rede. Zijn minachting voor de voor zijn leven onderhandelende Al Kadir is grenzeloos.
'Ik ben bereid te sterven, heer Rodrigo. Ik heb geen verlangen in leven te blijven en te zien wat er over dit land zal komen.'
Rodrigo wendt zich tot Moutamin. 'En wat zal er komen?'
'Oorlog, dood en vernietiging. Bloed en vlammen... verschrikkelijker dan een sterveling ooit heeft aanschouwd...'
Het gesprek wordt onderbroken door hoefgetrappel. In wolken van stof nadert een ruiterbende, aan het hoofd Don Garcia Ordoñez, een van de ridders uit de naaste omgeving van koning Ferdinand. Don Ordoñez houdt zijn paard in.
'Don Diego, ik neem uw gevangenen mee naar de koning in Burgos!'
'Ze zijn niet mijn gevangenen,' werpt Don Diego tegen, 'ze zijn de gevangenen van mijn zoon.'
Ordoñez kijkt Rodrigo spottend aan. Het zal hem een groot genoegen zijn Rodrigo de gevangenen afhandig te maken. Hij haat hem uit de grond van zijn hart en met reden: beiden beminnen dezelfde vrouw; maar hij, Ordoñez is kansloos...
'Dan worden het dus úw gevangenen, die we voor het paleis in Burgos zullen ophangen. En hoog zullen ze hangen als voorbeeld aan andere Moren!'
Rodrigo kijkt de graaf peinzend aan. Hij is zich bewust van diens haat en ook van diens invloed bij de koning. Maar vandaag is niet een dag als andere dagen. Vandaag ziet hij in dat er grotere belangen op het spel staan dan Moren op te hangen, namelijk Moor en christen samen te brengen tot behoud van Spanje.
Hij spreekt langzaam, bijna aarzelend. 'Don Ordoñez, deze gevangenen gaan niet naar Burgos.'
'Het zal de koning waarschijnlijk evenveel genoegen doen als u ze hier ophangt.'
'Hoeveel jaren zijn we nu al bezig elkaar om het leven te brengen? En wat hebben we ermee bereikt? Vrede?'
'Hang mij op en mijn zoons zullen niet rusten zolang er nog één

christen in leven is,' brengt Moutamin met hautaine onverschilligheid in het midden.
'Is er soms een betere manier om Moren te behandelen?' hoont Ordoñez.
Rodrigo laat zijn ogen over zijn soldaten gaan. Allemaal eenvoudige boerenjongens, die nog illusies koesteren over een vreedzame toekomst. Over een leven met vrouw en kinderen, dat niet aan voortdurende bedreigingen is blootgesteld. Hij wendt zich nu meer speciaal tot zijn schildknaap.
'Paco... wil jij ook je kerk in vlammen zien opgaan en je dorp geplunderd? Als je dat wilt, wel, hang ze dan maar op!'
Buiten zichzelf van woede door die ongewone tegenwerking doet Ordoñez een beroep op Rodrigo's vader.
'Don Diego, zeg uw zoon, dat het verraad is als hij weigert gevangenen over te geven aan een officier van de koning!'
Don Diego kijkt van de een naar de ander. Dat zijn zoon bezig is iets zeer ongewoons te doen, ontgaat hem niet. Maar zijn vertrouwen in de jongen is onbegrensd. Zijn moed en trouw hebben altijd boven elke verdenking gestaan. Ten slotte antwoordt hij: 'Rodrigo weet zelf wat hem te doen staat.'
Een bange stilte valt als Rodrigo met besliste tred op de gevangenen toegaat. Zijn benen iets uit elkaar; zijn voeten stevig in de aarde geplant – zo staat hij vierkant tegenover Moutamin en kijkt hem ernstig aan.
'Belooft u plechtig het land van koning Ferdinand nooit meer te zullen overvallen?'
'Dat beloof ik,' antwoordt Moutamin.
Het grote ogenblik is aangebroken. Het ongehoorde feit zal plaatsvinden dat een christen een Moor de vrijheid schenkt. Rodrigo grijpt het dolkmes van een van zijn voetknechten en snijdt vastberaden de touwen om Moutamins polsen door.
Ofschoon Moutamins gezicht geen enkele emotie weerspiegelt, is hij door die daad tot in het diepst van zijn ziel getroffen. Deze man mag dan een christen zijn; in wezen staat hij hem nader dan

zijn geloofsgenoot Al Kadir, die geen man is, maar een hyena – de prooi verslindend als die al weerloos is, het open gevecht zorgvuldig mijdend. En als Moutamin zijn lippen van elkaar doet om te spreken, dan zal het zijn om díé woorden te zeggen, die twee aanvankelijke aartsvijanden tot vrienden voor het leven maakt.

'Wij hebben een erenaam voor een krijgsman met de visie om rechtvaardig en de moed om barmhartig te zijn. Zo'n man noemen wij "El Cid". Ik, Moutamin, emir van Saragossa, beloof eeuwige vriendschap aan El Cid van Bivar, en trouw aan zijn soevereine heer, koning Ferdinand. Moge Allah mij met blindheid slaan als ik die belofte breek... In de naam van Allah!'

Rodrigo is tevreden. De eerste stap op weg naar het grote doel is gezet. Moutamin, emir van Saragossa, is zijn vriend en bondgenoot geworden. Van Al Kadir is hij minder zeker, ondanks dat die hem met zijn 'In naam van Allah' dezelfde belofte doet. Het uiterlijk van de man staat hem niet aan, iets dat nauwelijks verwondering hoeft te wekken als men de listige uitdrukking op zijn varkensgezicht in aanmerking neemt.

Maar Rodrigo moet één lijn trekken en wat voor de één geldt, dient ook voor de ander te gelden, al is hij zich ervan bewust daarmee een zeker risico te nemen.

Aldus werden op die gedenkwaardige dag vijf Moorse gevangenen van hun stokken losgesneden.

Graaf Ordoñez, die het tafereel met klimmende woede aanschouwde, wendt zijn paard, maar voor hij wegrijdt, keert hij zich nog éénmaal om naar Rodrigo.

'In naam van Ferdinand, koning van Castilië, Leon en Asturië, klaag ik u aan wegens verraad! Binnen zeven dagen zult u zich voor de koning in Burgos moeten verantwoorden!'

De geestelijke, Don Pedro, nadert Rodrigo en legt zijn hand licht op zijn arm.

'Je nam de kortste weg, mijn zoon. Niet naar je bruid, maar naar je lotsbestemming. Je bent ons door God gezonden, mijn zoon...'

II

Intriges

Waarin Jimena vergeefs wacht,
prinses Urraca te lang wacht,
en Don Garcia Ordoñez afwacht…

Te beweren dat Jimena, de dochter van Don Gormaz, mooi is, zou een simplistische redenering zijn, waarbij haar allesbehalve recht geschiedt. Jimena is niet alleen mooi, niet alleen betoverend, niet alleen overrompelend – oh nee! Jimena is dat alles en nog veel méér.

Ofschoon elke beschrijving van haar bekoorlijkheden bij de werkelijkheid moet achterblijven, dient voor een goed begrip een poging te worden gewaagd.

Jimena heeft ogen zo groen als smaragd, bekleed met een fluwelen wimpergordijn, dat zij er naar believen voor kan neerlaten. Haar fijne, rechte neus wordt aan weerszijden geflankeerd door de arcaden van haar lichtgebogen neusvleugels. Haar mond lijkt met een royale penseelstreek aangebracht en herbergt een haag van sterke, parelwitte tanden. Op haar porseleinen wangen ligt een blos van het eerste ochtendgloren, en de hartvormige contouren van haar gezicht worden omrankt door een wilde warreling van zwart, zijdeachtig haar, dat zich naar verkiezing laat vlechten en schikken en waar een intrigerend rood doorheen speelt dat het zonlicht vlammend weerkaatst.

Naast haar volmaakte uiterlijk en haar zo mogelijk nog volmaaktere vormen, beschikt Jimena over een warm en liefdevol hart en omdat de Schepper niets aan het toeval wenste over te laten, heeft Hij haar bovendien nog begiftigd met een goed verstand en een

fijne intuïtie. Bepaald een vrouw om te beminnen tot de dood erop volgt!
En zij wórdt aanbeden!
Behalve door haar aanstaande bruidegom Rodrigo Díaz, de jonge edelman wiens moed en ridderlijkheid we al in het eerste hoofdstuk hebben leren kennen, wordt de enige dochter van Don Gormaz niet aflatend aanbeden door de grote vertrouweling van de koning, Don Garcia Ordoñez.
Jimena is volledig op de hoogte van de aanbidding en toewijding van die graaf, die trouwens geen poging doet zijn vurige gevoelens te verheimelijken. En al moedigt zij die gevoelens met geen blik of gebaar aan, ze strelen niettemin haar vrouwelijke ijdelheid. Want behalve mooi en lieftallig is zij ook een beetje behaagziek en koket. Maar schoonheid en verstand zijn niet altijd voldoende om oog en hart van een man te behagen. Schoonheid en verstand kunnen op zichzelf nog zo groot zijn, als ze niet uit elke vezel van de betrokkene gevoed worden door dat onbekende 'iets' zijn ze dode elementen. Neem nu prinses Urraca, de enige dochter van koning Ferdinand; schrander, en het aanzien alleszins waard. Toch gaat van haar geen bekoring uit vergelijkbaar met die van Jimena.
Urraca en Jimena zijn nichten. Zolang Jimena zich kan herinneren heeft zij met haar vader in het paleis gewoond, waar zij over een eigen vleugel beschikken.
Er bestond tussen de beide meisjes altijd een grote rivaliteit.
Dat begon er al mee dat Urraca altijd wilde spelen met dat wat Jimena het meest boeide. En Jimena kon niet anders dan lijdelijk toezien hoe Urraca er met haar geliefde speelgoed vandoor ging. Het paste haar niet te vechten met de prinses! Hoezeer haar vingers af en toe ook jeukten...
De meisjes groeiden op tot jonge vrouwen en deden in schoonheid maar weinig voor elkaar onder. Maar zie! Waar zij zich beiden op de publieke tribunes vertoonden voor het bijwonen van een toernooi, daar gleden de blikken van de mannen van Urraca naar Jimena, om daar uiteindelijk te blijven rusten. Dat stak de

in wezen heerszuchtige en ijdele Urraca ten zeerste. En nu zij zich – volwassen geworden – niet meer kon troosten met het afpakken van speelgoed of een snuisterij, probeerde zij zich, als ze daar de gelegenheid voor kreeg, tussen Jimena en Rodrigo te plaatsen. Maar die gelegenheden waren uiterst schaars.

Urraca had nog twee broers. De oudste, Sancho, was een levenslustige, eerzuchtige knaap, zich wel bewust van zijn belangrijke positie als troonopvolger. In wezen was hij eenvoudig van aard. De dingen waren volgens zijn wereldbeschouwing mooi of lelijk, goed of slecht, en al wat daar tussenin lag was beuzelarij.

Aanvankelijk had hij zijn kleine zusje wel grappig gevonden, maar naarmate hij ouder werd, drong het meer en meer tot hem door dat er bij Urraca veel dingen lagen tussen goed en slecht, mooi en lelijk. Hij liet haar daarom links liggen.

Het jongste prinsje, Alfonso, was een lief kereltje met blonde lokken dat bij goede leiding zeker tot een voortreffelijk mens zou zijn uitgegroeid.

Maar nadat Urraca door Sancho was verstoten, wierp zij zich vol overgave op het kleine prinsje, dat zij volledig inpalmde. Uit haar eigen gevoel van miskenning goot zij het kereltje vol venijn en zij hitste hem op tegen Sancho, die naar haar zeggen veel te stom was om koning te worden. Helaas was er geen milde moeder om het meisje wat in te tomen. Zij was na Alfonso's geboorte in het kraambed gestorven. Aan het hof van koning Ferdinand werd gefluisterd dat Urraca en Alfonso ongeoorloofde betrekkingen onderhielden. Die fluisteringen berustten alleen op veronderstellingen, die weliswaar gevoed werden door het feit dat broer en zus niet van elkanders zijde weken. Sancho was niet helemaal zonder jaloezie, als hij die verbondenheid minachtend als 'geklit' afdeed.

En zo woelden in het paleis intrige, ijdelheid, heerszucht en jaloezie door elkaar, met als motor achter dat alles: Urraca.

Inmiddels zit Jimena in gezelschap van haar hofdames te wachten op de komst van haar aanstaande. Ze is vol ongeduld. Ze wil dat

Rodrigo de trouwjurk ziet, waarin ze voor het altaar zal verschijnen. Ze richt zich op en luistert aandachtig. Hoort zij hoefgetrappel? Haar snelle voeten brengen haar in een oogwenk naar de deur.
'Rodrigo!'
Geen antwoord... geen geluid.
'Ik dacht heus dat ik iets hoorde.' Ze sluit de deur. 'Hij had toch al hier moeten zijn. Waarom is hij zo laat?'
'Hij wordt pas tegen zonsondergang verwacht. Het is nauwelijks middag.'
'Och ja, dat is zo. Maar je kunt niet begrijpen wat de liefde met de tijd doet. Elke seconde lijkt een uur; een uur een dag... Tóch is hij laat, hoewel ik inzie dat een ruiter niet sneller kan dan zijn paard, hoe verliefd hij ook is.'
Jimena's toon is behaagziek. Ze is verliefd op haar eigen onrust en ze geniet van haar spel met de bezorgdheid.
Echt bezorgd is ze niet, want Jimena bezit nog het geloof van de jeugd in het eeuwige leven en de eeuwige liefde.
Haar bewegingen zijn koket als ze gaat zitten, haar handen voor het gezicht slaat en de ogen wijd maakt in quasi-schrik.
'Ik denk... dat de Moren hem in een hinderlaag hebben gelokt... ach nee, geen hinderlaag, hij is overvallen door een waanzinnige... of,' en nu klinkt het bedroefd, 'zou hij ziek zijn?' Ze laat haar handen zakken en glimlacht om haar eigen dwaasheid. Hoe komt ze de uren door die haar nog van hem scheiden? Ze staat op, loopt peinzend door het vertrek en vlijt haar wang tegen het koele marmer van een pilaar.
'Ze zeggen dat alle verliefde vrouwen zo gekweld worden,' fluistert ze, 'omdat ze eigenlijk niet kunnen geloven zo'n groot geluk deelachtig te worden.'
Met een lichte kreet laat ze de pilaar los. Snelle passen naderen op de gang. Ze herkent de stap van haar nicht.

Urraca moet een boodschap overbrengen. Een héél vervelende boodschap zelfs. Nog geen tien minuten geleden was graaf Ordoñez bij haar vader om hem te vertellen van zijn voornemen Rodrigo wegens verraad aan te klagen. Had hij niet vijf Moren bevrijd onder de neus van Ordoñez? Ongehoord inderdaad. Een afschuwelijke boodschap. Een verrukkelijke boodschap. Zodra Urraca het nieuws had opgevangen, haastte ze zich naar Jimena's vertrek. Zij zou het niet meteen vertellen, o nee. Een kleine suggestie... een voorzichtige insinuatie, dat was meer haar stijl. Een gevoel van opwinding beving haar en een rilling van genot – vaste begeleiding van plezierige situaties – liep langs haar ruggengraat.
Terwijl zij zich haast ziet zij Jimena's gezicht onder haar voorzichtig geplaatste woorden langzaam ontluisteren, rimpelen, vervallen. Tot een pad! Ha! Er waren tegenwoordig te weinig van zulke boodschappen. In het beste humeur van de wereld stoot zij de deur open. Bij haar binnenkomst maken Jimena en haar dames een revérence.
Met bestudeerde nonchalance maakt Urraca een gebaar dat te kennen geeft dat men op mag staan.
Zo, dat is dus Jimena's trouwjurk. Nou, als het aan haar ligt, zal het bij deze generale repetitie blijven. Ze loopt met sierlijke pasjes om haar nicht heen en bekijkt haar van hoofd tot voeten. Als zij haar lippen opent, is het om met diepe stem te zeggen: 'Maar die jurk is mooi... werkelijk héél mooi.'
Opgepast, denkt Jimena. Als Urraca complimenteus wordt, steekt er iets achter. De gifslang!
'Hare Koninklijke Hoogheid is zeer genadig,' antwoordt Jimena met veel nadruk op het laatste woord. En op schijnheilige toon vervolgt ze: 'Het gebeurt niet dikwijls, dat we zo vereerd worden.'
Zo, daar kan Urraca het voorlopig wel mee doen. Ze moet vooral niet denken dat ik haar niet dóór heb. Haar azijn wordt immers altijd door honing voorafgegaan! Toch is Jimena niet op haar gemak. Deze onheilsbode komt zeker niet voor niets. Genietend van

haar macht grijpt Urraca een tros druiven van de schaal en zet haar kleine, witte tandjes met innig welbehagen in de weelderige vrucht; haar met zeven ringen versierde vingers precieus bij haar mond houdend. Jimena mag dan een brutaal antwoord geven, de kleine angstflits in haar ogen is Urraca niet ontgaan.
'Het is geen gewone dag vandaag,' zegt ze met een poging tot speels lachen. En als haar nicht niet reageert: 'Je hebt zeker nog niets gehoord?'
Het wordt Jimena nu werkelijk onbehaaglijk te moede. Wat moet er te horen zijn geweest? Zou er tóch iets met Rodrigo...
'Er was nieuws,' tart Urraca verder, met dansende passen voor haar slachtoffer heen en weer lopend. 'Oh, zeker, er was nieuws.' Haar tanden plukken nog een druif uit de tros.
Urraca's spel lukt, althans in eerste aanleg. Jimena's nieuwsgierigheid wint het van haar wantrouwen.
'Was er nieuws van Rodrigo?'
Urraca glimlacht en onderzoekt aandachtig haar sierlijk gekromde pink.
'Mmmm, van Rodrigo... Oh, wat draag je toch een beeldige jurk!'
'Kan Uwe Hoogheid mij vertellen welk nieuws er is van Rodrigo?'
Urraca kijkt Jimena schalks aan. Haar hoofd is vol van lichte vreugde. Heeft zij Jimena nu niet in de palm van haar fijne hand? Ze is bang, Jimena, en het doet haar goed dat zo duidelijk te zien.
'Ja,' stemt ze toe, 'ik kan je dat wel vertellen. Ik neem aan, dat je weet dat Rodrigo op weg was hier naar toe, nietwaar?'
'Ja,' zegt Jimena. Een angstig voorgevoel bekruipt haar. Er is iets gebeurd. Zo straks speelde ze nog met de gedachte, zich niet realiserend dat er werkelijk gevaar kon dreigen.
'Er is gevochten... ach kom, je moet toch weten dat er gevochten is? En dat de Moren...'
Urraca heeft haar spel te lang gerekt. In haar begeerte haar rivale zo diep mogelijk te kwetsen, vergat ze dat er misschien nóg iemand

kon zijn die Jimena op de hoogte zou willen brengen: Jimena's vader, Don Gormax. Die betreedt nu het vertrek van zijn dochter en verstoord valt zijn blik op Urraca. Hij heeft het niet begrepen op zijn nicht, die er voortdurend op uit schijnt zijn dochter dwars te zitten. Door die interruptie teleurgesteld blaast Urraca de aftocht. Ze knijpt haar lippen op elkaar en perst de nagels in de palmen van haar hand, uit boosheid dat het haar niet vergund was Jimena de genadeslag toe te brengen.
'Ik krijg haar nog wel,' sist ze boosaardig.
Verontrust wendt Jimena zich nu tot haar vader.
'Vader, zeg mij, is Rodrigo gewond?'
'Nee kind, Rodrigo leeft en is gezond.' Het opgeluchte gezicht van zijn kind doet hem verdriet. 'Hou je zoveel van hem?' vraagt Don Gormaz, terwijl hij gaat zitten.
Jimena knielt aan zijn voeten en legt haar gezicht aanhalig tegen zijn arm.
'Mijn hele leven bestaat uit mijn vader en Rodrigo.'
Droefheid sluipt Don Gormaz' hart binnen nu hij weet dat hij zijn dochter pijn moet gaan doen.
'Jimena, je bent mijn enige kind. Ik heb geen vrouw. Jij alleen kunt ons geslacht voortzetten. Ik had een zoon moeten hebben.'
'Maar vader, Rodrigo zal uw zoon worden.'
'Néé!' Het komt er wild en onbeheerst uit.
Jimena schrikt en komt overeind.
'Je bent nog jong, Jimena. Je kunt opnieuw leren liefhebben.'
Opnieuw leren liefhebben? Wat betekenen die woorden?
'Kan ik leren een andere vader lief te hebben?'
'Dat is niet hetzelfde. Je hebt maar één vader; mannen zijn er méér.'
Jimena wil haar vader niet langer aanhoren. Ze vlucht het vertrek uit, de hal in.
'Jimena! Jimena!' roept haar vader haar na.
Op de hoge stenen paleistrap ziet het ontdane meisje Don Ordoñez.

'Don Garcia, wat is er gebeurd? Vertel mij, u bent altijd een vriend geweest…'
Don Garcia stapt op Jimena toe en kust licht haar hand. 'Ik zou meer voor u willen zijn, Jimena, als u mij toestond…'
Hoe ongepast om een bruid die op haar bruigom wacht de liefde te verklaren.
'U weet dat dat nooit zal kunnen.'
'Toch wel Jimena, nu wel.'
'Waarom?'
'Kunt u een verrader liefhebben, Jimena?'
'Ik houd van Rodrigo. Die vraag heeft dus geen enkele betekenis.'
'Helaas, Jimena. Rodrigo is een verrader.'
'U praat nonsens.'
'Er zijn andere getuigen…'
'Dat raakt mij niet.'
'Ik ben degene die hem aanklaagt wegens verraad.'
'U laat ook niets na om Rodrigo te kwetsen.' Jimena's stem is verdrietig en klein.
'Dat is onjuist. Ik ben slechts tot alles bereid om u te winnen.'
Jimena staat in verwarring na te denken over dat subtiele verschil, als haar vader zich bij hen voegt.
'En wat ben je van plan te doen, als de aanklacht wél juist mocht blijken?'
'Die kan niet juist zijn.'
'Er waren velen bij, mijn dochter.'
'Ze weten niet wat ze zeggen.' Jimena, in haar verontwaardiging, legt nadruk op elk woord.
Ordoñez ziet in dat hij op dit moment niet verder kan komen. Hij is een man die kan afwachten.
Hebben zijn kansen ooit gunstiger gelegen? Eigenlijk zou Ordoñez een uitstekende echtgenoot voor Urraca geweest zijn, ware het niet dat hij in haar geen enkele eigenschap kan ontdekken die haar het beminnen waard maakt. Ze lijkt innerlijk te veel op hem.

Hij voegt Jimena nog kort toe: 'U zult het zelf wel zien', waarna hij met grote passen wegloopt.

Het duel

Waarin bruid en bruidegom elkaar ontmoeten,
Rodrigo's vader wordt geslagen,
en Jimena's vader wordt gedood...

Zeven maal is de zon in het oosten opgekomen en in het westen ondergegaan.
De dag is aangebroken waarop de aanklacht tegen Rodrigo Díaz van Bivar zal worden behandeld. Alle edelen hebben zich met hun dames naar het paleis van de koning begeven om die opzienbarende rechtszaak bij te wonen.
Geroezemoes gaat door de rijen als de gebeurtenissen op gedempte toon worden besproken. Daags voordat hij met de dochter van Don Gormaz – nota bene de campeador van koning Ferdinand! – in het huwelijk zou treden, heeft Rodrigo het bestaan vijf aanzienlijke Moren vrij te laten! Was hij dan waarzinnig? Was het niet volkomen in overeenstemming met de heersende gebruiken dat Moren werden opgeknoopt? Het was een duistere zaak!
Als de hofdignitaris, Arias, naar voren komt, verstommen de gesprekken.
'Zijne Majesteit, Don Fernando, koning van Castilië, Leon en Asturië...'
De koning schrijdt naar binnen en neemt plaats op de troon.
Zijn gezicht, dat een edele inborst verraadt, is doorgroefd van diepe zorgen. Deze zaak is hem hoogst onwelgevallig. Door welke duistere gevoelens moet de jonge Rodrigo wel bezield zijn geweest om tot een dergelijke volstrekt ontoelaatbare handelwijze te komen? Hij had Rodrigo vele malen met welbehagen gadegeslagen

in de verwachting dat hij eens een dappere legeraanvoerder zou worden! En nu dit!
Arias onderbreekt zijn gedachten als hij de komst van de prinsen en de prinses aankondigt:
'En de infantes, prins Sancho, prins Alfonso en de prinses Doña Urraca!'
Als Urraca haar plaats heeft ingenomen en de prinsen zich aan weerszijden van hun vader hebben opgesteld, vervolgt Arias: 'U bent hier in dit hof verzameld met het doel uw ernstige advies te geven in een zaak van groot belang voor de Kroon. Don Ordoñez heeft een aanklacht wegens verraad ingediend tegen Rodrigo van Bivar!'
Uit de menigte verheffen zich stemmen, die schreeuwen: 'Verrader!'
Buiten de raadzaal, in de hoge marmeren hal, staat Rodrigo. Hij kan elk woord verstaan dat daar binnen gesproken wordt. Bij de kreet 'verrader' is hij zichtbaar geschokt. Dan hoort hij, buiten het tumult in de raadzaal, andere geluiden. Zachte voetstappen en geritsel van zijden kleren. Met een ruk wendt hij zich om en zie: daar staat Jimena naast een zwartmarmeren pilaar in een witzijden kleed. Wat is het goed haar te zien. En hoe mooi is zij! Met de armen uitgestrekt lopen ze langzaam naar elkaar toe, totdat, in het midden van de ruimte, onder de glazen koepel waar het daglicht doorheen valt, hun handen elkaar omvatten. Een ogenblik drinken hun ogen het beeld van de ander in, dan ligt Jimena in Rodrigo's armen.
Hij kust en liefkoost haar en drukt haar tegen zich aan, terwijl Jimena zich verzaligd aan zijn borst vlijt.
'Je had niet moeten komen,' fluistert Rodrigo in haar oor.
'Dan ga ik maar weer,' antwoordt Jimena schalks.
'Nog even,' zegt Rodrigo, en hij sluit zijn bruid vaster in zijn armen.
'Wat mij betreft hoef je me nooit meer los te laten. Bovendien is er geen gevaar.'

'Geen gevaar?' Rodrigo's lach klinkt een beetje cynisch. 'Luister maar.'
Ze heffen hun hoofden op en horen het heftige twisten dat uit de raadzaal tot hen komt.
Jimena legt haar hoofd weer tegen Rodrigo's borst.
'Het kan me niet schelen. Ik weet toch dat je onschuldig bent.'
'Je weet niet eens wat ik heb misdreven.'
'Nee, dat is zo. Maar ik weet zeker dat het geen verraad kan zijn.'
Ze heft haar gezicht naar hem op.
'Wat heb je dan gedaan?'
'Ik heb een man het leven geschonken.' Rodrigo lacht. 'Eigenlijk waren het er vijf.'
'Hoe kunnen ze dat nu verraad noemen. Wat waren het voor mannen?'
'Emirs,' glimlacht Rodrigo.
Verschrikt bevrijdt Jimena zich uit Rodrigo's omhelzing. 'Moren? Je laat Moren leven? Waarom?'
Rodrigo probeert zijn gedachten te ordenen. Welke ongewone overwegingen hadden hem die dag ook weer geleid?
'Ik ben er niet helemaal zeker van dat ik juist handelde... ik weet het niet. Misschien gebeurde het omdat ik steeds aan jou dacht... Het was vreemd.
Ik was op weg naar je toe. Ik kan me zelfs niet herinneren, waar het precies gebeurde. Er moeten wegen geweest zijn, bomen en mensen... maar het enige dat ik zag, was jouw gezicht.
Er volgde een strijd. Ik vocht mee, maar mijn hart was niet in mijn zwaard. Ik zag alleen maar jouw gezicht, Jimena.'
Rodrigo zucht. Wat is het moeilijk dingen uit te leggen die je meer voelt dan weet. Maar Jimena moet hij het wel proberen duidelijk te maken.
'Ineens kwam de gedachte bij me op: Waarom vermoorden we elkaar eigenlijk? Het is waar, zij zijn Moren en wij christenen... Jimena, begrijp je een beetje wat ik wil zeggen?'
'Ja, maar...' Jimena aarzelt. 'Er waren altijd oorlogen tussen ons.'

Ze haalt met bijna onmerkbaar ongeduld haar schouders op. Wat haalde Rodrigo ineens in zijn hoofd? Moren waren gevaarlijk. Die werden altijd gedood als ze in handen van de koning en zijn onderdanen vielen. Er was zelfs nooit iemand geweest die zich had afgevraagd of dat goed was of niet. Naastenliefde was mooi, maar gold die niet alleen voor medechristenen?
Rodrigo's stem onderbreekt haar gedachten.
'Ik weet het. Er waren altijd oorlogen tussen ons.' Hij neemt haar opnieuw in zijn armen. 'Dus jij gelooft niet, dat we vreedzaam naast elkaar zouden kunnen leven?'
Het is een heel nieuwe gedachte voor Jimena. Zou Rodrigo gelijk kunnen hebben? Zouden Moren en christenen zonder oorlogen kunnen leven? Geen oorlogen meer... Dat betekent dat Rodrigo niet meer ten strijde zou behoeven te trekken, en dat was in elk geval een tweede gedachte waard...
Maar die tweede gedachte moest tot een later tijdstip worden uitgesteld, want de beide gelieven werden opgeschrikt door een stem die door de gesloten deur tot hen kwam.
Het was de stem van Rodrigo's vader en wat hij zei betrof Jimena's vader. 'Zo'n aanklacht kan hij niet tegen mijn zoon inbrengen!'
Dan horen ze Don Gormaz: 'Dit is een aanklacht die ik niet lichtvaardig tegen enige man zou inbrengen. Zeker niet tegen een man die zich binnen korte tijd mijn zoon had zullen noemen. Maar een man die de vijanden van de koning vrijlaat, zoon of geen zoon, zo'n man móét ik een verrader noemen!'
Bevend wendt Don Diego zich tot de koning. 'Sire, hij besmeurt de eer van onze familie. Dit kan niet. Ook ik was eens de campeador van de koning...'
'Dat is lang geleden, Don Diego,' merkt de koning op, met lichte ergernis in zijn stem. 'Misschien is het beter als u de zaak in onze handen laat.'
'Nee Sire. Er zijn dingen gezegd die niet vergeten kunnen worden.' Don Diego's stem trilt van verontwaardiging als hij zich tot Don Gormaz wendt.

'Don Gormaz van Oviedo, als u mijn zoon een verrader durft te noemen, dan zeg ik dat u liegt!'
Don Gormaz is perplex over die belediging in tegenwoordigheid van het verzamelde hof.
'Ik ben de campeador van de koning. Ik heb er geen behoefte aan mijn zwaard te beschamen door het met het bloed van een oude man te besmeuren. Niettemin, geen man kan mij een leugenaar noemen!'
'Leugenaar!' schreeuwt Don Diego verbolgen.
Dat kan Don Gormaz niet accepteren. Hij is een Spaanse edelman; telg uit een oud en roemrucht geslacht. Hij laat zich geen leugenaar noemen, ook niet door een oude man. Zijn handschoen uittrekkend, stapt hij met forse schreden op Don Diego toe en slaat hem daarmee in het gezicht.
Rodrigo en Jimena kruipen sidderend tegen elkaar aan. Dat hun vaders op deze manier elkaars eer te na komen! Wat is het verschrikkelijk voor een kind te moeten meemaken dat de vader wordt vernederd, ook al is dat kind volwassen!
Jimena zucht: 'Dat je die vijf Moren hebt vrijgelaten, kan ik niet zo goed begrijpen. Maar als het uit onze liefde is voortgekomen, dan móét het goed zijn.'
Het incident met de twee hoge edelen is er de oorzaak van dat koning Ferdinand de zitting laat verdagen.

Als Don Gormaz na de emotionele bijeenkomst thuiskomt, treft hij Rodrigo in zijn kamer aan.
'Wat is er?' vraagt hij nors. Hij is niet in een stemming iemand te ontmoeten; het minst van al Rodrigo.
'U hebt mijn vader te schande gemaakt. Ik wens zijn naam terug; gezuiverd, zodat hij er opnieuw trots op kan zijn.'
Don Gormaz heeft alle begrip voor een zoon die de eer van zijn vader wenst te verdedigen. Maar die vader heeft hém diep vernederd. Een oude man, het zij zo. Maar vergiffenis vragen aan een oude man die hém leugenaar heeft genoemd? Nooit!

'Ik kan me niet verontschuldigen. Het is niet dat ik niet wil. Ik kan het niet.'
'Men zal u er des te meer om waarderen. Iedereen zal het begrijpen.'
'Ik heb nee gezegd, Rodrigo. Ga naar huis.'
Rodrigo weet dat hij deze man moet zien over te halen tot het maken van verontschuldigingen. Wat zou hem anders resten dan voor de eer van zijn vader te vechten met de vader van Jimena?
Hij strengelt zijn vingers in elkaar, in een gebaar van diepe nederigheid.
'Ik vraag niets voor mezelf. Zie, ik verdeemoedig mij voor u. Heb medelijden met een trotse, oude man.'
'Ik heb geen medelijden met hen die hun eigen bruikbaarheid overleven.'
Rodrigo knielt neer voor de graaf. 'Zie hier graaf, ik smeek u. Twee woorden slechts. Kunt u niet zeggen «Vergeef mij»?'
Ontstemd kijkt Don Gormaz neer op de geknielde jongen aan zijn voeten. Hoe verafschuwt hij nederigheid!
'Ik kan niet en ik wil niet. Verdwijn nu.'
Rodrigo staat op, trekt zijn zwaard en laat de schede kletterend op de grond vallen. 'Laat me mijn leven en dat van Jimena niet met uw bloed verduisteren.'
Don Gormaz, die Rodrigo al zijn rug had toegekeerd, is op het geluid van de vallende schede blijven staan. Na Rodrigo's woorden te hebben aangehoord draait hij zich om.
'Ga naar huis Rodrigo. Niemand zal minder van je denken, omdat je het niet tegen de campeador van de koning hebt opgenomen...'
Een felle drift maakt zich van Rodrigo meester.
Dat Don Gormaz zich niet verwaardigt vergiffenis te vragen, is iets dat hij niet waarderen maar wel begrijpen kan. Maar dat de graaf weigert te duelleren, gaat hem te ver.
'Graaf! Ik vraag het u voor de laatste maal...'
Don Gormaz kan niet ontkennen dat deze jongen hem op een

bepaalde manier bevalt, ook al vindt hij hem uiterst vermoeiend. Waarom wil hij met alle geweld sterven voor de eer van een oude vader? Want daar zou het immers op neerkomen als hij zich, onbekwaam als hij is, met hem zou meten?

Het idee deze jongeman te moeten doden trekt hem niet aan. Diens vermetelheid is zonder weerga! Hoe nu deze jonge heethoofd weg te krijgen?

'Ik zie dat moed en eer nog leven in Castilië en ik begrijp nu, waarom ik eens vond dat je mijn Jimena waardig was. Maar ga nu naar huis, Rodrigo. Welke glorie is er voor de campeador van de koning een onervaren iemand als jou te doden?'

Er valt een ogenblik stilte.

Een diepe vertwijfeling maakt zich van hem meester als Rodrigo vraagt: 'Kan eèn man leven zonder eer?'

Een fatale vraag.

Daar is voor Don Gormaz ook maar één antwoord op en dat antwoord luidt: 'Néé.'

Daarop klettert ook de schede van zijn zwaard op het marmer.

Ofschoon Rodrigo aan het hof van de koning met de vier jaar oudere Sancho was getraind in de kunst van de zelfverdediging, was dit zijn eerste tweegevecht. Hetgeen het licht snerende lachje om de lippen van Don Gormaz verklaart als hij met getrokken zwaard op de jongeman af komt.

De eerste slagen en uitvallen hebben nog iets van een hoffelijk aftasten, maar weldra komen er andere emoties los, vooral wanneer blijkt dat de 23-jarige Rodrigo uiterst behendig pareert.

Dat wekt aanvankelijk Don Gormaz' ergernis, vrijwel direct gevolgd door woede.

En als de sluis van de menselijke ziel eenmaal de boosheid heeft doorgelaten, kan hij die voor de onstuimig opdringende, andere gevoelens niet meer sluiten en dan passeren ook de haat en de jaloezie. En in plaats van twee mannen die vechten om de eer, zijn daar twee mannen in fanatiek gevecht gewikkeld om... een vrouw!

Waar anders kan een dergelijke bezetenheid aan ontleend worden? Het is onbewust Jimena die de mannen aanvuurt het uiterste van zichzelf te geven!
Aan de ene kant de weduwnaar Don Gormaz, die enkele jaren na de geboorte van Jimena zijn vrouw aan de pokken had verloren; oog in oog met de man die hem zijn enige hoop en liefde wil ontnemen! Aan de andere kant de jonge, vurige aanbidder, geconfronteerd met de enige mens die zijn huwelijk met Jimena in de weg kan staan!
Verschillende malen weet de graaf Rodrigo in een hachelijke positie te manoeuvreren. Een ogenblik ligt hij zelfs vrijwel weerloos ruggelings over een tafel. De graaf heft het zwaard... Mis, Rodrigo rolt snel opzij; het zwaard hakt in het hout. Van het ogenblik dat de graaf bezig is het los te wrikken, maakt Rodrigo gebruik weer op zijn benen te komen. Verbeten gezichten. Gekletter van staal op staal. Nu is Rodrigo in de aanval!
Hij drijft de graaf naar een pilaar en in een fractie van een seconde heeft hij de punt van zijn zwaard op diens borst. Don Gormaz is volledig in zijn macht!
'Ik heb mijn genoegdoening, heer graaf,' stoot Rodrigo uit.
Maar de graaf is allerminst uitgevochten. Zijn ogen schieten vonken als hij met een heftige ruk Rodrigo's zwaard opzij stoot en met agressief gebogen schouders op hem toekomt.
En verder gaat het weer. Aanvallen, pareren, opzij springen, totdat ze onder de hoge stenen trap verdwijnen.
Enkele ogenblikken is alleen het gekletter van de Toledozwaarden en de adem van de zwaar hijgende mannen te horen.
Dan – opeens – is het stil.
Moeizaam schuifelende voeten en een tastende hand om een trede van de trap worden zichtbaar... dan een zich in doodsstrijd krommend lichaam... Don Gormaz!
De graaf doet nog enkele passen, dan slaat hij achterover. 'Jimena!'
Boven aan de trap verschijnt zijn dochter. Als zij haar vader ziet liggen, slaakt zij een kreet.

'Vader! Vader!'
Ze rent de trap af en knielt bij hem neer.
'Wreek mij, Jimena, zoals mijn zoon zou hebben gedaan,' steunt Don Gormaz.
Jimena is te verbijsterd om een woord uit te brengen.
Zij legt haar arm onder haar vaders hoofd en buigt zich liefdevol over hem heen.
Maar Don Gormaz' laatste ogenblik is aangebroken. Voordat het licht in zijn ogen dooft, weet hij nog moeizaam uit te brengen: 'Laat me niet ongewroken... sterven...'
Haar vaders hoofd drukt ineens zwaar op Jimena's arm. Er siepelt iets warms in haar hand. Langzaam spreidt zij haar vingers en ziet... bloed!
Een noodkreet welt op uit het diepst van haar hart. 'Vader!'

De tweekamp

Waarin Jimena Rodrigo's tegenstander haar kleuren schenkt,
Don Gormaz ongewroken blijft.
en Rodrigo campeador van koning Ferdinand wordt...

Het zijn moeilijke dagen voor Jimena...
Naast het besef een vader verloren te hebben die, in de schaarse ogenblikken van samenzijn, haar omringde met liefde en toewijding, dringt het onontkoombaar tot haar door dat die slag haar is toegebracht door de man die ze naast haar vader het meest liefheeft.
'Wreek mij, Jimena, wreek mij...'
Het is een onverbiddelijke eis; de wens van een stervende is een bevel.
Een bevel dat inhoudt dat zij, Jimena, het doodvonnis moet uitspreken over Rodrigo. Rodrigo moet sterven, dan is haar vader gewroken. Dan pas kan zijn ziel in vrede rusten.
Maar hoe het doodvonnis uit te spreken over de man die je liefhebt? Hoe kun je jezelf aan zo'n gruwelijke verlatenheid en eenzaamheid blootstellen? Immers, zonder vader en Rodrigo is de wereld leeg en onbewoonbaar...
'Laat me niet ongewroken sterven...'
Jimena voelt dat haar vader nabij is, dat zijn ziel onrustig door de paleisgangen waart, dat hij eerst tot de eeuwige zaligheid kan ingaan nadat hij bevrijd is van de onduldbare vernedering te zijn gedood door een jonge en onervaren ridder.
Het zijn moeilijke dagen voor Rodrigo... Zijn zegevierende gevoelens waren al verdwenen toen hij, vanuit de duisternis van de trap, Jimena treurend bij het lijk van haar vader had zien zitten;

zijn bloed klevend aan haar vingers.
Voorwaar, een niet geringe prestatie de campeador van de koning te doden, maar als die campeador ook de vader van je geliefde is dan blijft er weinig plaats over voor gevoelens van glorie.
Want zijn geliefde moest zich nu wel tegen hem keren. Al zou zij hem liefhebben als het licht van haar ogen, dan nog was het kinderplicht haar vader te wreken.
Maar toch... had hij anders kunnen handelen? Kon hij dulden dat zijn vader voor het forum van edelen in het gezicht werd geslagen? Zou men hem niet met de vinger blijven nawijzen als hij dat, om redenen van zijn aanstaande verwantschap met Don Gormaz, had laten begaan?
Néé! Rodrigo moest opkomen voor de eer van zijn vader, zoals Jimena het op haar beurt moet doen voor de hare.
Hij had geen recht meer op Jimena. Zijn liefde moest sterven. In dit leven kon hij geen aanspraak meer doen gelden op de liefde van Don Gormaz' dochter.
En toch... een enkel woord zou hij nog met haar willen spreken. Een enkel woord... Haar duidelijk maken dat hij de dood van haar vader niet gewild had. Hij had – met het zwaard op de borst van zijn tegenstander – de strijd willen staken. Daarmee was zijn vader recht gedaan en er zou geen bloed zijn gevloeid. Het was van groot belang dat Jimena dat wist. Hij moest het haar vertellen.
Zou ze het begrijpen?
In haar zwarte rouwkleren en met haar ernstige gezicht is Jimena betoverender dan ooit, en Rodrigo staat bedremmeld bij de ingang van haar vertrek. Ze kijkt hem aan met diepe droefheid in haar ogen.
'Ik heb je vaders dood niet gezocht, Jimena...'
Nee, denkt Jimena bitter. Niet gezocht, wel voltrokken. Wat is het verschil?
'Je wist dat hij maar op één manier kon antwoorden. Je was bereid hem te doden. Je kocht jouw eer met mijn leed.'
'Ik kon niet anders handelen. De man die jij verkoos te beminnen,

kon niet anders handelen dan ik heb gedaan.'
'Waarom ben je eigenlijk gekomen, Rodrigo? Dacht je dat de vrouw die jij verkoos te beminnen minder moedig is dan jij?'
'Ik wilde niet komen... ik heb geprobeerd weg te blijven. Steeds opnieuw heb ik mezelf voorgehouden dat ik geen recht meer heb op je liefde. Maar mijn liefde wil niet sterven...'
'Dood je liefde, zoals je mijn vader hebt gedood!'
'Doe jij het!' schreeuwt Rodrigo wanhopig. 'Zeg dan dat je me niet meer liefhebt!'
Jimena zwijgt en wendt zich af. Kon ze maar zeggen dat ze hem haatte. Dat zou alles immers eenvoudig maken. Maar hoe kan ze, terwijl ze met elke vezel van haar lichaam naar Rodrigo verlangt? Licht huiverend ziet ze hem naderen. Een onbedwingbare neiging komt in haar boven om weg te lopen. Als hij haar aanraakt is ze verloren. Welke betekenis hebben gevoelens van eer nog, als ze overspoeld worden door de laaiende gloed van de liefde?
Rodrigo wil niets liever dan Jimena in zijn armen nemen, maar hij durft niet, uit angst dat ze hem zal afwijzen. Hij was gekomen om haar iets te zeggen, iets belangrijks, maar hoe hij zijn hersens ook pijnigt, hij kan het zich niet meer herinneren. De aanblik van zijn in rouw gedompelde bruid heeft hem te zeer aangegrepen.
'Wreek mij, Jimena, wreek mij...' Ergens diep in haar bewustzijn herinnert de stem van Jimena's vader klaaglijk aan haar plicht, en zij roept zichzelf tot de orde. Haar vader hoeft zich niet ook nog te schamen voor haar ongepaste zwakheid.
Als ze spreekt, heeft ze zichzelf weer helemaal onder controle: 'Nog kan ik niet zeggen dat ik je haat. Maar ik zal maken dat ik je waardig word. Ik zal het leren!'

Het hof is opnieuw rondom koning Ferdinand verzameld. Rodrigo bevindt zich onder de edelen, nog onzeker welke uitspraak hem boven het hoofd hangt.
Er zijn twee hachelijke punten aan de orde. Een beroep van Jimena op de koning om de moordenaar van haar vader te wreken

en de kwestie van de stad Calahorra, waarvan koning Ramiro van Aragon en koning Ferdinand elkaar het bezit betwisten.
Jimena komt de zaal binnen, nieuwsgierig aangegaapt door het aanwezige vrouwvolk. Ze wordt door Arias aangekondigd: 'Doña Jimena, dochter van wijlen Don Gormaz van Oviedo, betreurde campeador van de koning!'
Ontroerd ziet Ferdinand Jimena naderen, bleek en teer in haar zwarte rouwgewaad.
'Doña Jimena, nooit tevoren hebben wij uw vader zo nodig gehad als nu. Zijn verscheiden betekent voor ons een zwaar verlies,' zegt de koning, wiens gedachten helemaal worden beheerst door de problemen rondom Calahorra.
'Nooit tevoren heb ik meer betreurd zijn dochter te zijn in plaats van zijn zoon,' luidt Jimena's antwoord, in beslag genomen door haar brandende probleem: de eer van haar vader gewroken te krijgen.
Maar de aandacht van de aanwezigen wordt afgeleid door naderend hoefgetrappel en even later stuift koning Ramiro, met aan zijn zijde zijn campeador, Don Martin, de hof binnen.
'Gegroet Ferdinand! Laat ons geen tijd verspillen met plichtplegingen. Al drie keer heb ik geschreven over de zaak van de stad Calahorra, zonder enig antwoord te hebben ontvangen. Ik stel vast dat de stad toebehoort aan Aragon en ik ben gekomen om haar op te eisen!'
Arias dient koning Ramiro van repliek: 'Calahorra heeft altijd deel uitgemaakt van Castilië. Zijne Majesteit, koning Ferdinand van Castilië, Leon en Asturië, ontkent de juistheid van uw stelling!'
Dan verheft Don Martin, de donkere, vervaarlijk uitziende campeador van koning Ramiro, zijn stem: 'Ramiro, koning van Aragon bij de gratie Gods, heeft deze dag uitverkoren om Ferdinand, koning van Castilië, Leon en Asturië, uit te dagen voor een strijd in het open veld om de stad Calahorra, met alle strijdkrachten waarover hij kan beschikken.
De stad Calahorra zal eeuwig toebehoren aan hém die als over-

winnaar uit de strijd naar voren treedt...'
'Néé!' onderbreekt koning Ferdinand met donderende stem. 'Héél Spanje wordt bedreigd door de Moren. Wij zouden het hen al te gemakkelijk maken als twee christenkoningen met hun legers elkaar vernietigden!'
'Laat ons het lot van de stad in dat geval afhankelijk stellen van de uitkomst van een tweekamp tussen uw campeador en de mijne...' merkt Ramiro listig op.
'Wij begrijpen waarom u dit moment hebt gekozen om uw eis kracht bij te zetten... mijn campeador is dood...'
Ramiro trekt zijn handschoen uit en gooit hem op de grond.
'Mijn handschoen ligt daar! Laat een man naar voren komen of geef Calahorra op!'
Rodrigo, die de hele scène met stijgende verontwaardiging heeft gevolgd, wringt zich door de menigte naar voren. Hij is verbolgen over de list van koning Ramiro om op dit ogenblik te komen met een uitdaging tot een tweekamp. Welnu, als het aan hem ligt zal deze uitdaging aanvaard worden!
'Mijn heer gebieder! Laat mij de handschoen opnemen!'
'U?' Koning Ferdinand is totaal verbluft de jonge Rodrigo tegenover zich te vinden. 'Waarom zouden we het lot van een stad aan uw onervaren handen toevertrouwen?'
'Het waren mijn onervaren handen die uw campeador gedood hebben, Sire. Welke man kan met meer recht zijn plaats innemen?'
'Don Martin heeft zevenentwintig tegenstanders gedood bij een tweegevecht. Weet u dat?'
Rodrigo wendt zich half om en neemt Don Martin op. Hij ziet er woest genoeg uit. Ongetwijfeld een uiterst gevaarlijk man. Maar minder gevaarlijk dan Don Gormaz?
'Ik weet het, Sire.'
'Maar waarom wilt u dan op deze manier uw leven in de waagschaal stellen?' Koning Ferdinand vraagt het op haast beminnelijke toon. Diep in zijn hart voelt hij een grote genegenheid voor

deze jonge ridder, die samen met zijn oudste zoon Sancho lessen in hofetiquette heeft gevolgd. Ongetwijfeld een veelbelovend jongmens, dat zich in een gevecht tegen een naburig koninkrijk al had onderscheiden, en tenslotte het ongemakkelijke heldenstuk had volbracht zijn campeador te doden. Maar goed, wat waren die wapenfeiten vergeleken bij die van Don Martin?
'Sire, ik ben aangeklaagd wegens verraad...'
Een kort ogenblik ontmoeten Rodrigo's blikken die van Jimena, die de hare snel afwendt...
'En van nog andere dingen. Ik ben niet in de gelegenheid gesteld deze aanklacht te beantwoorden; u hebt mij nog niet veroordeeld... Ik ben bereid mijzelf aan het oordeel van de hoogste rechter te onderwerpen. Als ik schuldig ben, dan zal God Don Martins lans in mijn hart doen dringen; als ik onschuldig ben, zal hij mij beschermen...'
Alfonso, de jongste zoon van de koning, voelt niets voor een avontuur met het onervaren riddertje. Hij snelt op zijn vader toe en fluistert in diens oor: 'Hij is geen partij voor Don Martin, vader!'
'Hij is sterk,' weerlegt Sancho, die Rodrigo het beste kent. Is hij niet met hem opgegroeid alsof ze broeders waren?
'Vader, een hele stad staat op het spel!' dringt Alfonso aan.
'Hij heeft onze campeador anders weten te verslaan,' ketst Sancho terug.
'Wat weten wij daarvan? Misschien was het donker en overviel hij hem in de rug... Er waren tenslotte geen getuigen!'
Met onverholen afschuw bekijkt Sancho zijn broer.
'Dat is niet Rodrigo's stijl!'
Koning Ferdinand hoort de stemmen van zijn zoons langs zich heen gaan. Een stad staat op het spel; daarvan is hij zich zeer bewust. Maar met zijn legerscharen tegen Ramiro optrekken, is onmogelijk. Daarvan zouden enkel de Moren profiteren, en dan ging er meer verloren dan een enkele stad. Bovendien... was er behalve Rodrigo iemand anders beter in staat zich met Don Martin te meten?

Zijn zoons hebben hun schermutseling gestaakt. Koning Ferdinand vangt de blik op van zijn dochter en hij hoort haar fluwelen stem: 'Laat hem vechten, vader... er is niemand die betere redenen heeft...'
Goed! Rodrigo zal zijn kans krijgen!
'Rodrigo Díaz van Bivar! Neem de handschoen op...' en op zachte toon voegt Ferdinand daaraan toe: 'En moge God u bijstaan...'
Rodrigo neemt de handschoen op en steekt hem in de hoogte, ten teken dat de uitdaging is aanvaard. Hij sluit zijn ogen en bidt God om kracht.
Een koud maar zegevierend lachje speelt om de lippen van Don Martin, als hij naar de knielende Rodrigo kijkt. Dan wendt hij zijn paard en verlaat naast Ramiro het hof.

Een heldere hemel overkoepelt het toernooiveld en een stralende zon verleent een feestelijke tint aan de kleurige tenten, vlaggen en banieren en aan de kleding van de edelen en hun dames, die zich op hun fraaist hebben uitgedost.
Alleen Jimena zit als een klein zwart vlekje temidden van de bontgetooide edelvrouwen. Een klein zwart vlekje, dat is gekomen om de ondergang van haar geliefde te zien. Zodat de ziel van haar vader eindelijk rust zal vinden: zodat zij met zichzelf uiteindelijk vrede kan hebben.
Vreemde speling van het lot, dat het juist Don Martin moet zijn, een van de fanatiekste vijanden van haar vader, die de taak krijgt toebedeeld zijn dood te wreken.
Na het gebruikelijke ceremonieel, waarbij de kampvechters gelijktijdig zweren tot de dood te strijden om de stad Calahorra, zonder genade te vragen of te schenken, brengen de strijders een groet aan hun koning.
Om Rodrigo te laten weten dat ze aan de kant van Don Martin staat, overhandigt Jimena Rodrigo's tegenstander een zijden shawl met de kleuren van het geslacht Gormaz.
'Don Martin... u bent altijd mijn vaders vijand geweest. Wilt u

nu zijn wreker zijn? Wilt u mijn kleuren dragen?'
Don Martin grijnst breed. Hij voorziet niet zozeer een moeilijk dan wel voornamelijk een spectaculair gevecht, getooid met de kleuren van een eens gehate vijand. Hij vraagt zich enkel af of hij die nieuweling bij de eerste uitval al aan zijn lans zal spietsen, of dat hij hem eerst nog enige tijd over het veld zal najagen. In het eerste geval zal zijn onmiddellijke triomf zijn aanzien versterken; in het tweede geval zal hij er persoonlijk meer aardigheid aan beleven.
Terwijl hij met een spottend lachje Jimena's shawl tussen zijn gordel steekt, besluit hij de eerste tactiek te volgen.
Getooid met de kleuren van een Gormaz is de onmiddellijke triomf te verkiezen boven persoonlijke satisfactie. Hij brengt Jimena zijn saluut.
'Jonkvrouwe, wie zou niet trots zijn uw kleuren te mogen dragen? Hij die u beledigd heeft, zal sterven. Dat beloof ik u.'
'Tot aan uw overwinning zullen mijn kleuren zwart zijn.'
Rodrigo is geschokt door Jimena's woorden en gebaar. Als hij de uitdrukking op het gezicht van Don Martin ziet, waarmee hij haar shawl vastmaakt, begint zijn bloed te koken. Hij moet zichzelf in bedwang houden om niet meteen op Don Martin af te stormen.
'Rodrigo!'
Dat is de stem van Urraca!
'Een ridder kan niet ten strijde trekken zonder de kleuren van een edelvrouwe.' Zij houdt de Castiliaanse kleuren hoog en Rodrigo steekt haar de wel vier meter lange lans toe, waarover zij, met een bevallig gebaar, haar shawl drapeert.
Jimena, aan haar rechterzijde, bekijkt de scène alsof die haar niet aangaat; koning Ferdinand, aan haar linkerzijde, is ingenomen met de geste van zijn dochter. De kleuren van Castilië zullen Rodrigo de moed geven die hij bitter nodig zal hebben, denkt hij.
Rodrigo accepteert Urraca's kleuren met een glimlach en nijgt het hoofd.
'Hoogheid...' mompelt hij.

Dan wendt hij zijn paard en bidt: 'Almachtige God... het uur van mijn beproeving is gekomen... oordeel mij... doe mijn schuld of onschuld kennen...'
In de koningsloge wendt Urraca zich met haar liefste glimlach tot haar nicht.
'Denk je dat Don Martin Rodrigo zal doden?'
Jimena slikt. De moed zonk haar in de schoenen toen ze Don Martin haar kleuren had overhandigd, ook al liet zij daarvan niets blijken. In elk geval hoeft Urraca het niet te weten.
'Ik hoop het, Hoogheid.'
'Je begrijpt zeker wel dat ik je hoop niet kan delen? Ten slotte zouden we er een stad door verliezen!'
De schildknapen hebben de reservezwaarden in de grond gestoken en Fañez heeft Rodrigo de helm opgezet. Hij omklemt de arm van zijn meester, en kijkt hem aan met een blik waaruit warme sympathie en bezorgdheid spreken.
Rodrigo glimlacht hem vol vertrouwen toe. Dan sluit hij het vizier en neemt zijn plaats in. Don Martin staat al opgesteld. De koningen geven hun strijders een teken en in wilde galop stormen ze op elkaar in.
Don Martins opzet, Rodrigo bij zijn eerste aanval aan zijn lans te spietsen, mislukt. Onder hevig gekraak worden de beide lansen verbrijzeld en de ruiters stuiven elkaar voorbij! Rodrigo heeft de hevige schok doorstaan en zit nog in het zadel!
Uit de koningsloge klinkt de verheugde stem van Sancho. 'Rodrigo heeft het gehouden! Hij heeft de eerste aanval doorstaan!'
Aan het einde van het veld grijpen de kampvechters ijlings een nieuwe lans uit het wapenrek en daar gaan ze weer, recht op elkaar af! Aangevuurd door hun berijders werpen de paarden het zand hoog achter hun hoeven op, en reageren nauwgezet op de geringste ruk aan de teugel. In verwoede galop veroveren ze meter voor meter het terrein. Daar zijn de ruiters weer binnen lansbereik gekomen!
Opnieuw probeert Don Martin Rodrigo uit het zadel te lichten,

maar het lijkt alsof die aan zijn hengst zit vastgenageld. Krakend versplinteren de lansen, wederom stuiven de strijders elkaar voorbij zonder de ander een haar te hebben gekrenkt.
Voort gaat het weer. De paarden briesen en rennen naar voren tot aan het wapenrek, waar de kampvechters haastig een derde lans uit rukken. De paarden worden gewend... dan galopperen ze recht op elkaar in.
In de loge van koning Ferdinand wordt Sancho zo door zijn verrukking meegesleept dat hij met zijn vuisten op zijn knieën slaat. Urraca bijt van spanning op haar onderlip en knijpt haar kleine handen samen.
Alfonso zit als gehypnotiseerd te kijken naar dat ongelooflijke schouwspel: een volstrekte nieuweling, die na twee aanvallen van Don Martin nog in het zadel zit!
Jimena probeert haar emoties te verbergen. Bij elke nieuwe aanval doet ze een schietgebedje en steeds betrapt ze zich erop dat ze niet voor het behoud van Don Martin, maar voor dat van Rodrigo bidt. Als de ruiters binnen elkaars bereik zijn gekomen, sluit zij haar ogen en pas als ze uit de enthousiaste kreten van Sancho hoort dat er geen onheil is geschied, opent zij ze weer, om weer een nieuw schietgebed te prevelen.
De kampvechters zijn elkaar voor de derde keer genaderd.
Als bezeten probeert Don Martin zijn koppige tegenstander te vellen, maar zijn lans knapt op die van Rodrigo af als een lucifershoutje! Rodrigo heeft de derde aanval doorstaan!
Vóórt! Vóórt!
Met opengesperde neusgaten, het schuim op de bek, vliegen de hengsten het terrein over. Een vierde lans! Een hernieuwde aanval! De schok daarvan is zo hevig dat Rodrigo uit het zadel wordt geslingerd...
Kreten van teleurstelling in de loge van koning Ferdinand...
Kreten van vreugde in die van koning Ramiro...
Een dierlijk gegrom maakt zich los uit Don Martins keel. Dat had lang geduurd! Te lang voor een eerzuchtige man die van plan was

de nieuweling bij de eerste aanval volledig te verslaan!
Hij werpt de versplinterde lans weg en neemt de goedendag ter hand, een knots waaraan een met ijzeren punten bezette kogel zit. Hij is vastbesloten zijn tegenstander hiermee af te maken. Rodrigo ziet het gevaar waaraan hij is blootgesteld. Godzijdank heeft hij door de val zijn helm niet verloren! Eén klap van de goedendag en het zou met hem gedaan geweest zijn. Maar nu zorgt hij ervoor dat de kogel op zijn helm afketst.
De hevige klap verdooft hem enigszins en vertraagt zijn bewegingen als hij overeind komt.
Don Martin heeft zijn paard gewend en komt opzetten met de dreigend zwaaiende goedendag. De door de lucht suizende kogel maakt een gierend geluid. Maar ook die tweede klap weet Rodrigo met zijn helm op te vangen. Don Martin, die na elke slag zijn paard een cirkel moet laten beschrijven, schenkt met die manoeuvre tegen zijn wil Rodrigo wat tijd om zich enigszins te herstellen. Rodrigo maakt van die adempauze gebruik naar het zadel toe te kruipen dat Babieca, zijn ros, gelijk met hem afwierp, Don Martins bewegingen daarbij niet uit het oog verliezend.
De nieuwe aanval wordt door het zware zadel opgevangen. Don Martin beschrijft zijn zoveelste cirkel. Wat drommel! Zo'n tegenstander heeft hij nog nooit ontmoet! Maar nu zal hij eraan geloven. Zwaaiend met de knots nadert hij Rodrigo, die, beseffend dat Don Martin te paard altijd in het voordeel is, een stoutmoedig plan improviseert.
Als Don Martin hem dicht genoeg is genaderd, werpt hij zich, het zadel voor zich uit houdend, onder diens paard, dat daardoor ten val komt!
Opnieuw gejuich in de loge van koning Ferdinand.
Het gezelschap van koning Ramiro houdt de adem in.
Maar die vermetele manoeuvre kost Rodrigo zijn helm, zodat hij nu uiterst kwetsbaar is. Anderzijds kan Don Martin met zijn goedendag niets meer beginnen en moet hij het zwaard ter hand nemen.

Ziedend van drift werpt de kampvechter, door zijn jeugdige tegenstander tot ridder te voet gedegradeerd, zich op Rodrigo, die de felle aanval afslaat met wat hem in de hand komt: het zadel, een afgebroken lans... Hij moet proberen Don Martin naar de andere kant van het veld te krijgen, waar zich het reservezwaard bevindt. Meer kruipend dan lopend, zijn hoofd nog dof van het gebeuk van de goedendag, lokt hij Don Martin, die zijn strategie wel doorziet maar hem niet kan verhinderen, mee naar de andere kant van het toernooiveld.

Nu!

Rodrigo heeft het zwaard te pakken! Eén ogenblik is hij weerloos, omdat hij zijn rechterhand nodig heeft om het uit de grond te wrikken. Don Martin, van die kans gebruik makend, springt op hem af... Rodrigo werpt met alle kracht waarover hij in zijn linkerhand beschikt het zware zadel tegen Don Martins maag, die door de schok achterover tuimelt.

Uitzinnig van woede en pijn springt Don Martin op Rodrigo af en neemt hem in zijn armen alsof hij hem aan zijn borst wilde vermorzelen. Een dodelijke omhelzing!

En een fatale fout van Don Martin!

Met alle inspanning en kracht die in hem is, duwt Rodrigo zijn tegenstander van zich af en gaat meteen tot de aanval over!

Don Martin, enigszins uit het evenwicht door de schok waarmee Rodrigo hem zich van het lijf heeft geworpen, moet zich al achterwaarts lopend verdedigen, totdat zijn rug tegen de omheining van het toernooiveld stuit. Niet bedacht op dat onverwachte obstakel, staat hij een moment weerloos en Rodrigo slaat toe! Don Martin wankelt en zakt door de knieën.

Met een felle hieuw geeft Rodrigo hem de genadeslag.

Don Martin, overwinnaar in zevenentwintig tweegevechten, is verslagen en gedood door Rodrigo Díaz van Bivar in diens eerste tweekamp!

Een opgewonden tumult maakt zich meester van alle Castilianen en een kreet van afgrijzen gaat door de rijen van de volgelingen

van koning Ramiro.
Jimena is misselijk van de doorstane angst. Hoe moeilijk kan zij haar vreugde bedwingen om Rodrigo's behoud! Hoe wreed was het geweest hem overgeleverd te zien aan die woesteling Don Martin, die zij zelf had aangemoedigd Rodrigo te doden!
Maar nu... nu is alles voorbij. Het was een heroïsch gevecht.
Maar haar vader is ongewroken...
Uitgeput van vermoeidheid, gehavend en bezweet door de strijd ziet Rodrigo op zijn tegenstander neer. Dan valt zijn blik op Jimena's shawl, die zij voor het begin van de strijd aan Don Martin overhandigde. Niet zonder voldoening ontneemt hij de dode campeador zijn trofee en met het zwaard in beide handen begeeft hij zich volgens de regels van de tweekamp naar de loge van koning Ramiro.
'Aan wie behoort de stad Calahorra?' vraagt Rodrigo op luide toon.
Het valt Ramiro niet mee zijn verlies toe te geven. Hij was er heilig van overtuigd dat het voor zijn campeador kinderspel zou zijn de jeugdige knaap te verslaan. Hoe had hij zich vergist en hoezeer betreurde hij zijn onzalige uitdaging. Maar een terugweg was niet meer mogelijk.
Met grote tegenzin beantwoordt hij de gestelde vraag.
'Calahorra behoort aan Ferdinand en aan Castilië.'
Doodmoe maar gelukkig steekt Rodrigo het toernooiveld over totdat hij voor zijn koning staat.
'God schonk mij kracht, Sire.'
Ferdinand glimlacht vol genegenheid.
'Nog nooit zag ik een man vechten met grotere moed. God was zeer zeker aan uw zijde. Wie zal nog durven ontkennen dat de tegen u ingebrachte beschuldiging vals was? We zijn u zeer verplicht, Rodrigo. We benoemen u tot onze campeador.'
Een zo volledig eerherstel had Rodrigo nauwelijks voor mogelijk gehouden. Uit zijn gordel haalt hij de zijden shawl en bevestigt die aan de punt van zijn zwaard, die hij over de balustrade steekt en

terugtrekt, waardoor haar kleuren aan Jimena's voeten vallen.
'Uw kleuren zijn niet langer zwart,' zegt Rodrigo op veelbetekenende toon.
Jimena, die zich hersteld heeft van de emoties van het toernooi, verwaardigt zich niet haar shawl op te rapen. Met effen stem antwoordt ze Rodrigo: 'Mijn kleuren blijven zwart, totdat mijn vader gewroken is.

De overval

Waarin Ordoñez een moord beraamt,
Rodrigo van de koning toestemming krijgt met Jimena te trouwen,
en op het laatste nippertje door Moutamin gered wordt...

Doña Jimena staat voor het raam van de kamer waarin de kist met het lijk van haar vader is opgebaard, en kijkt neer op de binnenplaats van het kasteel, waar een plechtig gebeuren plaatsvindt. Rodrigo wordt niet alleen officieel geïnstalleerd tot campeador van de koning, maar bovendien benoemd tot opperbevelhebber van de troepen. Een uitzonderlijke onderscheiding, voorheen nog nooit aan zo'n jonge man verleend!

Jimena is somber gestemd, omdat het haar voorkomt dat de koning te lichtvaardig over de dood van haar vader heenstapt. Zeker, Castilië wordt voortdurend bedreigd en ze beseft dat de koning behoefte heeft aan een voortvarende en bezielde leider, maar dat dat nu juist Rodrigo moet zijn!

Het lijkt alsof, na zijn eclatante overwinning op Don Martin van de vorige dag, haar vaders ziel nog dringender bij haar aanklopt om de beloofde vergelding. Maar als de beruchte vechtjas Don Martin het al tegen Rodrigo heeft moeten afleggen, wie zal dan in staat zijn haar vader te wreken?

'Iemand zal komen... iemand zal zich melden...' mompelt ze handenwringend.

Don Garcia Ordoñez, die de rouwkamer binnenkomt, vangt haar laatste woorden op. Niemand liever dan hij ziet Rodrigo van het toneel verdwijnen. Pas dan zal Jimena immers in staat zijn tot liefde voor hem. Maar ook hij is zeer somber gestemd met betrek-

king tot de nog onbekende held die zich met Rodrigo Díaz zou kunnen meten.
'Nee, Jimena... ik geloof niet dat er in Castilië nog één ridder te vinden is, die zijn leven tegen Rodrigo zou durven riskeren.'
Jimena wendt zich tot Ordoñez. 'Dan vraag ik mij af welke dringende redenen u naar mij gevoerd hebben, Don Garcia.'
'Wilt u werkelijk Rodrigo's dood? Is dat niet een tijdelijke opwelling?'
'U wilt met hem duelleren?'
'Ik dacht niet aan duelleren... er bestaan andere methoden om met iemand af te rekenen... zekerder methoden...'
Ordoñez nadert Jimena en zijn stem wordt zachter: 'Als ik u niet had gekend, zou ik geen ogenblik aarzelen, ik zou mijn leven hebben weggesmeten. Maar nu, Jimena, nu kan ik dat niet meer.'
Jimena doet bedachtzaam enkele passen en houdt dan stil bij de prachtig bewerkte doodskist. Op het deksel bevindt zich een uit hout gesneden beeltenis van haar vader, en het machtige zwaard waarmee hij het eens tot campeador bracht.
De sfeer in de rouwkamer, de nabijheid van de dode laten Jimena antwoorden: 'Hoe dacht u die aangelegenheid te regelen, Don Garcia?'
Haar stem is koud en vlak.
Don Garcia staat haar nu meer tegen dan zij laat blijken, maar het gaat om belangrijker zaken dan persoonlijke gevoelens. Haar vaders zielenrust is in het geding.
Don Garcia is heel goed in staat om in te zien dat zijn aanbod stuitend is, en een hooggeplaatste edelman als hij eigenlijk onwaardig. Maar hij is verliefd en die gemoedstoestand maakt dat er maar één gedachte in zijn hoofd kan ronddraaien, als een paard in de piste: Hoe kan ik Doña Jimena's hart winnen?
Als Don Garcia Ordoñez, ondanks zijn hoge titel en zijn vele waardigheden, in liefdeszaken niet zo onnozel was geweest, dan had hij begrepen dat met zijn moord op Rodrigo, het hek om Jimena's hart – althans voor hem – voorgoed zou sluiten.

Maar dat begreep Don Garcia geenszins. Hij was er de man niet naar zich in de roerselen van een vrouwenziel te verdiepen.
'Ik wil uw liefde Jimena, meer dan eer, roem en rijkdom. U kunt zo'n liefde begrijpen.'
Zeker, Jimena kan zo'n liefde begrijpen. Als ze hem maar niet hoeft te beantwoorden...
'Dan weet ik wat mij te doen staat!' roept Ordoñez theatraal, alvorens hij met zegevierende tred de rouwkamer verlaat.

Beneden op de binnenplaats gaat de plechtigheid verder. Rodrigo heeft het zwaard in ontvangst genomen dat koning Ferdinand speciaal voor hem bij de beste wapensmeden van Toledo heeft laten vervaardigen.
'Rodrigo van Bivar! Wij benoemen u hierbij plechtig tot onze campeador en eerste ridder van het Rijk. Moge dit zwaard al onze vijanden verdelgen!'
Rodrigo heeft het zwaard in ontvangst genomen en koning Ferdinand vervolgt: 'Onderdanen! Voor de eerste keer sinds generaties weigeren onze Moorse vazallen belasting te betalen. Ze zijn door de Afrikaanse Moren tot rebellie aangezet. Dus moet er een expeditie worden uitgezonden om de belasting te innen. Dat zal uw eerste taak zijn, Rodrigo.'
'Dat ik uw vertrouwen waardig mag zijn, Sire.'
Jimena ziet het machtige zwaard glanzen in Rodrigo's handen.
Wat een combinatie, peinst ze. Zo zal hij onweerstaanbaar en onverslaanbaar zijn. Van zijn ongeëvenaarde moed heeft ze gisteren een verbijsterende proeve aanschouwd. De dapperste man van het hele land, gedoemd om door de hand van een sluipmoordenaar te vallen.
'Onze zoon Sancho zal u vergezellen,' vervolgt de koning en dan klinkt Sancho's stem, waarin begeerte naar avontuur duidelijk hoorbaar is: 'Dat ook ik u waardig mag zijn, Sire!'
Ah, Ordoñez treedt naar voren. Hij heeft zijn plan al beraamd.
'Sire, dit is de eerste expeditie van onze prins. Zou ik hem mogen

begeleiden?' vraagt Ordoñez huichelachtig.
Je bent een schurk, denkt Jimena. Een laaghartige snoodaard. Van welk soort moet de liefde zijn, waarvoor men een dergelijke daad wil begaan?
En dan sluipt er een andere gedachte in haar hoofd, een vraag: Is datgene waaraan ik mijn stilzwijgende toestemming heb verleend in overeenstemming met de wens van mijn vader? Een ongemakkelijke vraag. Ze schudt hem van zich af met een ongeduldig gebaar.
Inmiddels is Urraca binnengekomen en heeft zonder een woord te uiten enkele meters verder een plaats voor het raam ingenomen. Voor haar schijnt intussen alles naar wens te verlopen.
De stad Calahorra behoort nu aan haar vader toe, dankzij Rodrigo die ze als echtgenoot voor Jimena verloren waant. Koning Ferdinand heeft Don Ordoñez toestemming gegeven prins Sancho op zijn tocht te vergezellen.
'Bespaar hem ontberingen noch gevaar, maar leer hem ook dat vrede en niet oorlog de uiteindelijke taak van een koning is.'
Rodrigo heeft enkele keren tersluiks naar boven gekeken en Jimena voor het raam zien staan. Hij doet een pas naar voren. En als hij spreekt, klinkt zijn stem helder over de binnenplaats.
'Mijn heer en gebieder! Er bestaat een oud gebruik dat een heer verplicht een dame bescherming te verlenen, als hij die dame van haar bijstand heeft beroofd.'
Hij heft zijn arm en wijst naar Jimena, die van schrik een stap achteruit doet.
'Ik heb de vader van die jonkvrouw gedood. Als ik, met Gods wil, heelhuids van deze expeditie terugkeer, wilt u mij dan Doña Jimena van Gormaz als wettige vrouw geven, om voor haar te zorgen en om haar te beschermen zoals haar vader zou hebben gedaan?'
Koning Ferdinand glimlacht. Hij ziet niets liever dan die jonge mensen in de echt verbonden.
'Zeker Rodrigo.' Hij wendt zich half om en slaat een blik op naar Jimena. 'Laat ons een einde maken aan deze haat. Het huwelijk

zal plaats vinden na uw terugkeer. Doña Jimena zal zich gereed houden.'
De bisschop van het paleis spreekt zijn zegen uit over de manschappen en hun leiders, waarna ze hun paarden wenden en de poort uitstuiven.
Urraca, een zijden doekje in haar hand tot een prop ballend, zegt tot Jimena, haar stem hees van boosheid: 'Dat is de man die, naar je hoopte, door Don Martin zou worden verslagen. Dat is de man wiens dood je wenste...'
'Zeker, Hoogheid,' antwoordt Jimena onbewogen.
'En desondanks aanvaard je dat huwelijk?'
'Als het de wil van de koning is, moet ik gehoorzamen.'
Urraca werpt met een nijdig gebaar het doekje op de vloer en verdwijnt met samengeknepen lippen en driftige passen.
Een streep door je rekening? denkt Jimena. Hoe dan ook, tot een huwelijk zal het niet komen. Van deze expeditie zal Rodrigo niet terugkeren. Daar zal de 'dappere' Ordoñez wel voor zorgen...

Ai, ai, ai... Alle mooie opzetjes zijn gedoemd te mislukken.
Verliefde mannen kunnen oneervolle voorstellen doen. Wanhopige vrouwen kunnen daarin toestemmen. Maar de mens wikt en God beschikt...
Het moet worden toegegeven, dat Ordoñez zijn uiterste best deed de opzet wel te laten lukken.
Had hij niet Al Kadir, de wraakgierige emir, het bericht in handen laten spelen op welk uur en op welke plaats hij de gevaarlijke Rodrigo Díaz van Bivar, bijgenaamd El Cid, gevangen kon nemen? Een gevangenschap die zonder twijfel in een afgrijselijke folterdood zou eindigen?
Oh zeker, Ordoñez liet niets aan het toeval over. Alleen een man als Al Kadir zou in staat zijn definitief met Rodrigo af te rekenen. Hóe dat zou gebeuren hoefde hij immers niet te weten? Hij zou terugkeren naar Jimena en haar zeggen: 'Uw vader is gewroken, Jimena. Rodrigo van Bivar is dood. Wilt u nu mijn vrouw worden?'

Dat zij alsnog zou kunnen weigeren, kwam niet in hem op.
Het detachement ruiters heeft inmiddels Moors gebied bereikt. Aan het hoofd rijden prins Sancho en Rodrigo, gevolgd door Arias. Ordoñez bewaart met de overige manschappen enkele tientallen meters afstand tot de kopgroep en spiedt de omgeving zorgvuldig af. Ergens in deze steenwoestenij moet zich Al Kadir met zijn mensen bevinden. Misschien ligt achter gindse rots wel de man die, als de kop van de stoet passeert, zich op Rodrigo zal werpen. Maar er valt geen beweging te bespeuren en Rodrigo en Sancho rijden, onbewust van enig onheil, opgewekt voort.
Arias heeft enkele keren omgekeken en gemerkt hoe Don Ordoñez achterblijft, en speurend rondkijkt alsof hij iets verwacht. Dat wekt zijn wantrouwen en ook hij gaat scherper opletten. Rodrigo en Sancho naderen de rots waarachter Don Garcia de overvaller vermoedt. En niet zonder reden. Want die rots onttrekt elke overvaller aan het gezicht van de nietsvermoedende ruiters. Maar hij moet de rots eerst beklimmen en is dan, voordat hij zich op Rodrigo kan storten, een ondeelbaar ogenblik in zijn volle lengte zichtbaar. Lang genoeg voor de oplettende Arias om een waarschuwing te schreeuwen: 'Heer Cid, pas op!'
Rodrigo laat zijn paard bliksemsnel opzij springen, de overvaller stort op de grond en wordt daar onmiddellijk afgemaakt.
Luid schreeuwend en met hun zwaarden in het rond zwaaiend, verschijnen plotseling aan alle kanten Moorse ruiters, die kennelijk in een hinderlaag gelegen hadden. In een ogenblik zijn de leiders omsingeld en van de hoofdgroep afgesneden.
Het wordt een hachelijke strijd van drie mannen tegen een niet onaanzienlijke overmacht, maar ze maaien met hun zwaarden om zich heen en zien kans de vijand aldus op afstand te houden. Maar ze zullen het moeten afleggen als er niet spoedig hulp komt opdagen. En dan naderen – als door God gezonden – in een wolk van stof op pijnsnelle paarden, de krijgers van Moutamin, en nu is in korte tijd de strijd beslecht; de soldaten van Al Kadir moeten haastig vluchten.

Moutamin en Rodrigo ontmoeten elkaar en omvatten elkaars arm in warme groet.
'U kwam precies op tijd,' zegt Rodrigo dankbaar.
'Dank zij Allah! U bent door een van uw eigen mensen bedrogen, heer Cid.'
'Bedrogen door een christen; gered door een Moor. U haalt zich de vijandschap van uw eigen volk op het lijf.'
'Het was niet meer dan u voor mij deed.'
'Als u mij ooit nodig mocht hebben...' zegt Rodrigo, en hij drukt veelbetekenend de arm van Moutamin, die, ten antwoord, in dezelfde bewoordingen van zijn trouw getuigt.
De mannen kijken elkaar ernstig aan, maar dan wordt Rodrigo's aandacht getrokken door kermen en kreunen. Hij wendt zijn hoofd naar de richting van het geluid en ziet Arias gekromd van pijn op de grond liggen.
Rodrigo springt van zijn paard, loopt op hem toe, knielt neer en slaat zijn arm om de schouders van zijn trouwe raadsheer, die in een laatste dienstbetoon steunend de naam van de verrader prijsgeeft: 'Ordoñez'. Dan zinkt hij zwaar in de ontspanning van de dood terug in Rodrigo's armen.
Intussen heeft Moutamin met een enkel woord prins Sancho van de feiten op de hoogte gebracht.
Sancho neemt onmiddellijk maatregelen: hij laat Ordoñez gevangen nemen en ontwapenen. Hooghartig kijkt die neer op de naderende Rodrigo. Zijn list is tot zijn bittere teleurstelling mislukt en de rollen zijn helemaal omgekeerd. In plaats van over Rodrigo te hebben gezegevierd en zijn lijk te hebben teruggevoerd naar Burgos, heeft Rodrigo over hem gezegevierd en zal het zijn lijk zijn dat in Burgos ter aarde wordt besteld. Maar voor hij sterft, zal hij zijn geheim prijsgeven, zodat Rodrigo voor het front van zijn troepen vernederd wordt...
'Heer Cid,' zegt hij spottend, 'voor ik sterf dient u te weten dat de vrouw die u bemint, mij zekere beloften heeft gedaan als ik u om het leven zou brengen.'

Een ogenblik staat Rodrigo onder die slag als aan de grond genageld, maar dan wordt hij door een felle woede overmeesterd. Hij loopt naar Ordoñez, sleurt hem van zijn paard en slingert hem met kracht tegen de grond. Hij rukt het zwaard uit de schede, heft het op... en aarzelt...
'Steek hem neer! Dood hem! Hij is een verrader!' schreeuwt Sancho hem toe. Maar Rodrigo laat het zwaard zakken.
'Nee, laat hem...'
'Men zal zeggen, dat ik te zacht ben,' houdt Sancho hem voor.
Rodrigo schudt het hoofd en zegt op besliste toon: 'Weldra zult u koning zijn. U moet leren denken als een koning. Doden kan elke man, slechts een koning kan het leven schenken.'
Dan voegt hij er op zachtere toon aan toe: 'Er heeft al genoeg bloed gevloeid voor mijn huwelijk.'
En Don Garcia Ordoñez wordt als gevangene teruggevoerd naar het paleis in Burgos.

Het huwelijk

Waarin het huwelijk gesloten wordt,
Jimena in een zoutpilaar verandert,
en Rodrigo te diep in het glas kijkt...

De klokken van de kathedraal van Santa Gadea beieren. Jimena en Rodrigo liggen geknield voor de bisschop om het door de koning en Rodrigo gewenste huwelijk te sluiten. De koninklijke familie is in volle staatsie bij de plechtigheid tegenwoordig, schitterend uitgedost in een overkleed met rood en goud geborduurd blazoen. In de met kleurige vlaggen versierde loges staan de schildknapen en laten de bazuinen schallen.

Jimena heeft haar rouw afgelegd en is gekleed in een oogverblindend mooie jurk van wit brokaat, rijk bestikt met parels en gouden kralen. Met Rodrigo in purperen fluweel, een glanzend blauwe cape om de schouders, vormt zij een mooi, maar ongelukkig paar.

Niemand zal in staat zijn Jimena's verbazing te schetsen, toen Rodrigo levend en wel van de expeditie terugkeerde, Don Garcia Ordoñez als gevangene meevoerend. Verbazing en een heimelijke vreugde, die ze onmiddellijk onderdrukte, aangezien ze zich – voor de zoveelste keer – geplaatst zag tegenover de naar rust snakkende ziel van Don Gormaz. Doña Jimena was in die dagen zeker niet de eerste die zich begon af te vragen: Wie is deze man? Hoe komt het dat hij, die volgens menselijke berekeningen al ettelijke keren gedood moest zijn, nu springlevend, en vooralsnog niet van plan te sterven, naast haar geknield lag? Jimena zou maar al te graag bereid zijn Rodrigo's bovenmenselijkheid te aanvaarden om zich zorgeloos als zijn vrouw in zijn armen te laten nemen, ware het

niet, dat Don Gormaz' bede om wraak nog niet verhoord was, de stem van zijn ziel niet tot zwijgen gebracht en aan haar gehoorzaamheid aan de stervende nog niet voldaan.
Die gedachten en nog ontelbare meer gingen in haar hoofd om, nadat Rodrigo desgevraagd de bisschop zijn jawoord had laten horen.
Nu wendt de bisschop zich tot Jimena met de vraag, of zij, Doña Jimena van Gormaz, Rodrigo Díaz van Bivar tot wettige echtgenoot kiest. Ze weet dat, overeenkomstig de wens van koning Ferdinand, haar jawoord zal moeten volgen, maar ze kan zich de voldoening niet laten ontgaan dit binnen de grenzen van het oorbare uit te stellen, en aldus haar aanstaande echtgenoot in verlegenheid te brengen.
Als eindelijk haar 'Ik wil' heeft geklonken, gaat er een zucht van verlichting door de rijen.
In verband met de in acht te nemen rouw zijn geen verdere feestelijkheden geregeld en het huwelijksmaal vindt in alle stilte en eenvoud plaats, met alleen Rodrigo's adjudanten Fañez en Bermudez als gasten.
Aan het hoofd van de dis zit Rodrigo en het is hem onbehaaglijk te moede als hij het versteende gezicht van Jimena ziet. Hij probeert enig voedsel door zijn keel te wringen, maar de brokken schijnen erin te blijven steken. Tegenover hem, enkele meters van hem vandaan, zit Jimena in een toestand die het haar onmogelijk maakt het voedsel ook maar aan te raken.
Aan weerskanten zitten Fañez en Bermudez en het dient gezegd dat zij zich aan de vreemde situatie maar weinig gelegen laten liggen: ze schransen naar hartelust. Zouden de echtelieden zich straks na hun vertrek niet verzoenen? Werd niet altijd elke onenigheid binnen de intimiteit van het slaapvertrek bijgelegd? Een glas goede wijn zou trouwens de onwilligste bruid meegaand maken, meent Fañez, die opstaat van zijn stoel en op Jimena toeloopt, onderwijl de kruik van tafel nemend.
'Wenst de vrouwe een glas wijn? Het is een goede wijn. Speciaal

van Bivar naar hier gebracht...'
Jimena maakt een afwijzend handgebaar. 'Dank je, Fañez, nee...'
Ook Bermudez doet een poging tot luchtigheid: 'De hele avond ben je al bezig de vrouwe te overtuigen hoe goed alles is in Bivar.'
'Wel,' antwoordt Fañez beminnelijk, 'en het is goed. Vrouwe, u zult het zelf zien als u in Bivar komt. Het is zo'n...' Fañez zoekt het juiste woord. 'Het is zo'n gelukkige plaats.'
Vertederd lacht Rodrigo hem toe. Het is aandoenlijk te zien hoe zijn toegewijde adjudant probeert het ijs te breken. Dat hij daarin niet slaagt, ligt zeker niet aan zijn goede wil, maar aan de muur die Jimena rondom zich heeft opgetrokken en waar elke mededeelzaamheid op afstuit.
'Werkelijk, Fañez?'
'O zeker, vrouwe, het is onmogelijk daar te zijn en het niet te voelen.'
Bermudez, die zich aan de overvloed van heerlijke spijzen tegoed heeft gedaan en de beker vele malen heeft gevuld, vindt dat nu het ogenblik genaderd is om het veld te ruimen, omdat hij niet meer verwacht dat dit bruiloftsmaal in een feestavond zal eindigen. Hij geeft Fañez een sein.
'Ik denk... ik heb zo'n idee dat onze heer en vrouwe vermoeid zullen zijn.'
Rodrigo knikt hem toe.
Fañez begrijpt de wenk. 'Ja,' valt hij bij, waarna hij haastig opstaat om zich het vet van het gezicht te wassen.
Bermudez geeft de op de trap zittende dames, die de maaltijd hebben opgeluisterd met luit en vedel, een teken het vertrek te verlaten. In een laatste poging tot snaaksheid wendt Fañez zich van Jimena tot Rodrigo.
'Goedenacht, en mag deze nacht... eh... ik bedoel... ik hoop, dat u...'
De ijzige stilte waarin zijn woorden vallen, doet hem overhaast vertrekken.
Nu ze alleen zijn, maakt Jimena zich klaar een brandende kwestie

met Rodrigo af te handelen. Enerzijds omdat ze gekweld wordt door een slecht geweten; anderzijds... Ze slikt moeizaam.
'Ik vind dat ik door uw vrouw te zijn geworden de plicht heb iets te vertellen, aangezien er tussen man en vrouw geen geheimen mogen bestaan.'
Rodrigo weet heel goed wat Jimena hem vertellen wil en probeert dat te verhinderen.
'Het kan zijn dat sommige dingen beter onbesproken kunnen blijven, zelfs tussen man en vrouw.'
'Men zegt dat elke onuitgesproken gedachte een klein spook wordt...'
'Er is voldoende ruimte hier voor een paar kleine spoken,' glimlacht Rodrigo.
Maar Jimena weet niet van wijken.
'Ik wist, dat Ordoñez een valstrik voor u zou spannen. We hebben het plan samen beraamd.'
Na die woorden staat ze op en verlaat de eetzaal, Rodrigo alleen latend met zijn gedachten en de wijn.
Als Jimena haar bekentenis voor zich had gehouden, zou hij nog hebben kunnen voorwenden van niets te weten en dan hadden ze tenminste vriendelijk tegen elkaar kunnen zijn. Op meer durfde Rodrigo, na alles wat er was voorgevallen, voorlopig althans, niet te hopen. Hij pakt de kristallen karaf en schenkt zijn glas nogmaals vol.
Stel, dat Arias hem niet tijdig had gewaarschuwd, dan was de kerel in plaats van in het zand op zijn nek terechtgekomen, en dan was hij het geweest, die zich in doodsstrijd kronkelde.
Arias... hij had zijn oplettendheid met zijn leven moeten bekopen, maar niet voordat hij Ordoñez aan de kaak had gesteld. Die afschuwelijke verraderlijkheid! De zoete wijn van Bivar doet hem in lichte opwinding geraken.
Hij had hem moeten doden! Welzeker, Sancho had gelijk. Alleen niet Sancho was te zacht, maar hij, Rodrigo.
Wat had het voor zin onbetrouwbaren in leven te laten. Dat zag

men aan Al Kadir, wiens touwen hij persoonlijk had doorgesneden en die, tot dank, bereid was hem door sluipmoord om het leven te brengen.
Nogmaals schenkt Rodrigo zijn glas vol.
Nee, hij had toch ongelijk. Al Kadir, die hij bevrijdde, mocht dan al een laffe verrader zijn, dezelfde daad had hem een vriend voor het leven geschonken: Moutamin, emir van Saragossa. De vriendschap van Moutamin was belangrijker dan de verraderlijkheid van een Al Kadir of een Ordoñez. Ordoñez was verliefd op Jimena, dat was iedereen aan het Hof duidelijk. Had Jimena beloofd hem te trouwen, nadat hij Rodrigo om het leven had laten brengen?
De zoete wijn van Bivar gaat klokkend door zijn keelgat. Jimena, Jimena...
Als een troepje kwetterende vogels verschijnen de kleedsters van Jimena. Als ze hun meester zien, verstommen ze en verdwijnen, na een haastige nijging, naar hun eigen kwartieren.
Hun meester keek diep in het glas en dat was wel nodig ook, nu vrouwe Jimena zich als een blok marmer voor deze eerste huwelijksnacht had laten kleden.
Inderdaad leek Jimena veranderd in een zoutpilaar. Zonder zelfs met haar ogen te knipperen had ze zich in het van het zachtste batist vervaardigde nachtgewaad laten hullen, zich de huismantel van lamé om de schouders laten glijden. Ze had, als een pop zo stijf, haar zwarte haren laten borstelen, het in een dikke streng laten vlechten, het langs haar schouder op haar borsten laten schikken. Ze had niet in de spiegel gekeken, die de kleedsters haar voorhielden; zelfs niet de veelbetekenende blikken die ze elkaar toewierpen. Het was mooi als een bruid schuchter en ingetogen was, maar ze hoefde daarmee nog niet in een brok ijs te veranderen. Dat was overdreven!
Wat de kleedsters niet begrepen en ook niet begrijpen konden, dat was dat Jimena deze toestand van gevoelloosheid, deze pose als zoutpilaar, nodig had, omdat ze anders Rodrigo zou smeken haar als zijn vrouw in te wijden.

De woorden die ze tot hem had gesproken, kwamen voort uit haar plichtsbesef tegenover de manende stem van haar vader. Maar haar hart sprak een heel andere taal.
Haar oor vangt het geluid op van een slepende tred op de gang en even later staat Rodrigo, licht beneveld door de zoete, zware wijn uit Bivar, in de deuropening. Zijn blik valt op Jimena en door de nevels heen wordt hij getroffen door haar schoonheid en lieflijkheid.
'Jimena...' Langzaam loopt hij naar haar toe. 'Ik wist van je plan af. Ordoñez heeft het me verteld.' Hij steekt zijn hand uit naar haar schouder, aarzelt dan haar aan te raken.
'Ik verwachtte niet dat ons huwelijk je liefde meteen zou terugbrengen. Maar ik hoopte dat het een eind zou maken aan je haat en dat... dat...'
Hij legt zijn hand op haar schouder, die teer en weerloos aanvoelt.
'En dat, op de een of andere manier... oh Jimena!'
Zijn impuls haar in zijn armen te nemen wordt te sterk. In liefdeshonger drukt hij zijn mond op de hare. Haar lippen wijken langzaam vaneen en dan... als ze de lichte aanraking van zijn tong tegen de hare voelt en een wilde passie haar overrompelt, klinkt als een donderslag de stem van haar vader: 'Jimena!'
Ze stoot haar geliefde van zich af en komt overeind, maar het lijkt alsof haar benen het begeven. Het is alsof alles wat vaste substantie aan haar was vloeibaar is geworden, alsof haar eigen omtrekken uitdijen en ineenkrimpen, opnieuw vervloeien en weer stollen tot haar eigen contouren. Ook Rodrigo is van streek. De aanvankelijke overgave van haar kus heeft hem bedwelmd en hij staat daar nu, verslagen en schutterig.
Dan hoort hij Jimena's stem, die weer koel is en beheerst: 'Weet je waarom ik met je getrouwd ben, Rodrigo? Omdat het de enige manier is mijn vader te wreken. Het is waar, dat je het recht hebt mij te nemen als je dat wilt. Maar mijn liefde zal ik je onthouden, voor altijd...'

Met een verdrietig gezicht gaat Rodrigo naar haar toe. Zijn voorzichtige vingers strelen de zwarte haarstreng die om haar schouder valt, als een tedere afscheidsgroet.
'Jimena... we hebben elkaar misschien te diep gegriefd...'
Rodrigo verlaat het slaapvertrek. Hij is er de man niet naar een vrouw te nemen omdat hij daartoe het recht heeft. Hij verlangt niet alleen een lichaam, maar het hele wezen.
Terwijl hij gaat slapen, vraagt hij zich af of Ordoñez' list niet beter gelukt had kunnen zijn. Was de dood niet te verkiezen boven het vooruitzicht van een regelmatig samenzijn met een beminde vrouw, die hem lichaam en ziel onthouden zou tot in lengte van dagen? Zeker, Jimena slaagde erin haar vader te wreken. En na die gedachte valt Rodrigo in een afgrondelijk diepe slaap.

Zodra Rodrigo de kamer verlaten heeft en haar niet meer horen kan, geeft Jimena zich over aan een huilbui waarin al haar opgekropte gevoelens een uitweg zoeken.
Ze is dankbaar dat hij haar niet gedwongen heeft het echtelijk bed te delen, want ze zou niet in staat zijn geweest haar harde woorden na te leven.
Maar er dringt een diep besef tot haar door dat ze niet zal kunnen volharden in deze houding, dat er een ogenblik zal aanbreken waarop ze haar natuur niet meer kan bedwingen...
Er is maar één uitweg... de zusters... het klooster San Pedro te Cardeña. Daar zal Rodrigo haar niet kunnen benaderen. Daar zal ze beschermd zijn tegen zijn aanraking en haar eigen impulsen.
En na die gedachte gaat Jimena in haar doorschijnende nachtgewaad op bed liggen en huilt tot aan de ochtend.

De samenzwering

Waarin de koning sterft, de beide broeders slaags raken,
Alfonso gevangen wordt genomen en weer bevrijd,
en Ben Yusof plannen heeft.

De volgende ochtend gaat Jimena, met klein gevolg, in alle vroegte op weg naar het klooster San Pedro te Cardeña. Hoewel haar hoofd dof is en haar leden vermoeid zijn door gebrek aan slaap, bevangt een vreemde aandoening haar als ze de bekende poort doorgaat en de binnenplaats betreedt, waar ze als meisje zo dikwijls gewandeld en gespeeld heeft.

In dit klooster heeft Jimena haar opvoeding genoten; heeft ze leren lezen en schrijven, een kunst waarin alleen hooggeplaatste personen bedreven zijn. Ook heeft zij hier vaardigheid gekregen in het hanteren van de naald, want de nonnen zijn kunstenaressen in het maken van fraai kant en borduurwerk. Kwam haar rijkbewerkte trouwkleed niet hier vandaan?

'Jimena? Is dat onze Jimena?'

Het is de hoge, ijle stem van de moeder-overste en dan komt het kleine, actieve vrouwtje bedrijvig op haar af.

'Ja, eerwaarde moeder, het is Jimena.'

'Waarom ben je naar ons teruggekeerd?' vraagt de moeder-overste verwonderd.

Jimena slaat de armen om haar hals en antwoordt vermoeid: 'Ik ben gekomen om rust te vinden, moeder.'

'Na al wat met jou gebeurd is, moet je de vrede niet binnen deze muren zoeken,' corrigeert de vrouw haar vriendelijk. 'Jij bent voor de wereld bestemd, en er zal een dag aanbreken waarop je wenst

terug te keren. Maar tot zolang mag je bij ons blijven.'
Jimena bedankt de moeder-overste innig en gaat met haar mee naar binnen.

De wereld die Jimena zojuist verlaten heeft, wordt opgeschrikt door een nieuwe catastrofe: het plotselinge overlijden van koning Ferdinand. Het is een slag voor de provincies Castilië, Leon en Asturië, die onder het gezag van Ferdinand bijeengebleven waren en zodoende een zekere macht vertegenwoordigden tegenover de vijandelijke Moren.
Het zou vanzelfsprekend zijn geweest als Sancho, de oudste zoon van de koning, tot troonopvolger was benoemd, ware het niet dat Ferdinand in zijn laatste levensjaren teveel het oor had geleend aan zijn enige dochter Urraca, die hij voor een zeer verstandig meisje hield.
Had prins Sancho daar meer aandacht aan geschonken, dan zou hij misschien in staat zijn geweest bepaalde plannen te verijdelen, maar de prins had zichzelf min of meer geïsoleerd van de rest van het gezin, omdat zijn aard er niet naar was zich te verdiepen in de heimelijkheden en spinsels van zijn zuster.
Hiervan gebruik makend had Urraca aanvankelijk Alfonso en later ook haar vader ingepalmd. Zeker, Ferdinand beminde Sancho als oudste zoon, maar tot een grote vertrouwelijkheid was het tussen hen nooit gekomen. Daardoor was Ferdinand niet goed in staat geweest zich van het karakter van zijn troonopvolger – die door Urraca minachtend als 'dom' werd bestempeld – een zuiver beeld te vormen.
En zo wist hij niet dat achter Sancho's eenvoudige levensbeschouwing, die de dingen in goed en slecht verdeelde, een grote moed stak en de bereidheid het persoonlijk belang voor het algemene ter zijde te stellen. Stellig was ook Sancho eerzuchtig en ambitieus en stelde hij zich van het koningschap veel voor, maar zijn drijfveren waren nobel: een goed en rechtvaardig koning te zijn. Ongetwijfeld had ook Rodrigo hem in die zin beïnvloed.

En dus kon het geschieden dat Urraca en Alfonso aan het sterfbed van hun vader zaten en zekere beloften van hem wisten af te dwingen, terwijl Sancho nietsvermoedend van de expeditie op weg was naar huis.
De priester was al aan de dodenmis begonnen, toen hij het paleis betrad en het droevige nieuws hoorde, waarna hij zich naar de sterfkamer spoedde.
Daar zag hij Urraca en Alfonso bij het lijk van zijn vader, en een vreselijk vermoeden overviel hem.
'Waarom ben ik niet tot koning uitgeroepen?' fluistert hij in Alfonso's oor.
'Omdat je geen koning bent! Het koninkrijk moet verdeeld worden!'
Sancho is ontzet. 'Néé!'
'Voordat vader stierf heeft hij beslist dat jij Castilië krijgt, maar dat Leon en Asturië naar mij gaan.' Er klinkt een diepe voldoening in Alfonso's stem.
'Néé!' is weer Sancho's enige reactie.
'En onze zuster krijgt de stad Calahorra!'
'Néé! Ik ben de oudste. Ze zijn mijn geboorterecht. Het koninkrijk mag niet verdeeld worden!'
'Daar valt niets meer aan te veranderen. Ik ben koning van Leon en Asturië en ik zou wel willen weten wat jij daaraan kunt doen!'
Sancho is woedend. 'Ik ben de oudste zoon. Ik zal een drievoudige kroon hebben, of geen enkele!'
Met die woorden wil Sancho zich verwijderen, maar voor hij weet wat er gebeurt, schiet Alfonso hem met getrokken zwaard voorbij. Hij gaat voor de deur staan waardoor Sancho wilde verdwijnen, en sist hem uitdagend toe: 'Laat het dan geen enkele zijn!'
Twisten tussen de broers waren vrijwel niet voorgekomen. Daarvoor hadden ze te weinig contact met elkaar gehad. Maar natuurlijk was de grote innigheid tussen Alfonso en Urraca Sancho niet ontgaan. Dat liet hem niet onverschillig, want het spreekt vanzelf dat hij liever op vertrouwelijke voet met broer en zuster was geweest. In

de praktijk was van een toenadering niets terechtgekomen, omdat Sancho van de kronkelpaden van zijn zuster niets begreep en ook het geduld en het inzicht miste om te proberen ze te begrijpen. Bovendien behoorde Alfonso, als jongste, Urraca geheel toe, met als gevolg dat de broers vrijwel vreemden voor elkaar waren.
Sancho's jaloezie had tot dusverre op de bodem van zijn ziel gerust. Maar door de onverwachte agressie van zijn broer, die nu tegenover hem staat met van haat schitterende ogen en getrokken zwaard, wordt die jaloezie als het ware in één klap tot leven gewekt en in de strijd geworpen. Zijn gezicht is vertrokken en zijn stem hees, als hij op zijn broeder inslaat.
'Altijd Urraca en jij! Jullie waren altijd tegen mij! Vader was oud, ze heeft hem ingepalmd!'
Twee zwaarden kruisen elkaar. Twee armen persen zich tegen elkaar omhoog in een krachtmeting de ander om te buigen. Twee broers zijn belust op elkaars bloed, terwijl in het aangrenzende vertrek de dode vader ligt opgebaard en de priester diens ziel aan de eeuwigheid aanbeveelt.
Ook bij Alfonso is de drijfveer jaloezie, maar bij hem lag dat gevoel niet op de bodem van zijn ziel te sluimeren, maar speelde een rol in al zijn doen en laten. Het was een door Urraca zorgvuldig opgekweekte woekerplant. Van jongs af aan had zij hem ingefluisterd: 'Sancho is dom, Sancho is troonopvolger omdat hij de oudste is, maar hij is niet beter dan wij. Als vader sterft, wordt Sancho koning en dan hebben wij niets meer te vertellen.'
Het spreekt vanzelf dat zulk soort praatjes de ziel van het jonge prinsje vergiftigen moesten, en hem het gevoel gaven dat Sancho eigenlijk zijn vijand was. Door de grote zorg en toewijding waarmee Urraca hem omringde, groeide Alfonso minder krachtig op, minder mannelijk ook, dan Sancho, die al heel jong op enkel mannen aangewezen was.
Maar naast jaloezie, drijven machtshonger en ambitie Alfonso tot een sterke partij, hoewel zijn arm voor de toenemende druk van Sancho's ijzeren pols bezwijkt. Hij maakt snel een achterwaartse

sprong, steekt zijn zwaard uitdagend naar voren en sist zijn broer toe: 'Dat je de oudste bent maakt jou niets beter dan wij!'
Sancho doorziet nu het spel van zijn zuster. Was het hem, als oudste, gelukt zich los te maken uit het web dat Urraca om hem spon, Alfonso was daar als een weerloos vliegje in blijven hangen. Hij was haar dienaar en haar slaaf. Er deden geruchten de ronde over Urraca en Alfonso's betrekkingen. Sancho had daar nooit enige aandacht aan geschonken, omdat alle kletspraat hem tegenstond, maar nu sijpelden die fluisteringen zijn brein binnen. Ze vertroebelden zijn geest, maar verleenden een vrijwel bovenaardse kracht aan zijn zwaard.
'Jij en Urraca! Altijd jij en Urraca! Jullie waren altijd samen! Je bent verliefd op haar!'
'Je liegt!' schreeuwt Alfonso wild, maar nu is het met hem gedaan. Als een hellehond vliegt Sancho op hem af, drijft hem in een hoek en bewerkt hem zodanig dat hij kreunend in elkaar zakt.
Sancho heft zijn zwaard voor de genadeslag als Urraca uit het nevenvertrek komt aansnellen.
'Sancho, néé!' gilt ze.
Sancho aarzelt een ogenblik en steekt dan het bebloede zwaard terug in de schede. Hij kijkt vol minachting op de snikkende en gewonde Alfonso neer.
'Hij dacht dat hij koning was!'
Dan wenkt hij zijn inmiddels toegesnelde dienaren en wijst op zijn broer. 'Breng Zijne Majesteit naar zijn nieuwe koninkrijk: de kerker van Zamora!'

Begeleid door dertien bewakers gaat Alfonso door het hete Spaanse land op weg naar de duistere, vochtige kerker van Zamora. Ontdaan van zijn zwaard en met zijn handen van voren bijeengebonden, zit hij te paard. Hij is niet gerust op het lot dat hem te wachten staat, maar ergens voelt hij dat Urraca hem niet in de steek zal laten en dat zij voor uitkomst zal zorgen. Hoe? Ja hoe? Dat moet hij aan haar vindingrijkheid overlaten.

En dat doet Alfonso niet vergeefs. Want Urraca kent op het kasteel in Burgos een man die zwaar tegen de broederstrijd gekant zal zijn: Rodrigo. Zo snel mogelijk brengt zij hem van het gebeurde op de hoogte.
Haar berekening komt uit, want zonder dralen en zonder tijd te verliezen om een escorte samen te stellen, bestijgt Rodrigo de hengst Babieca, en gaat er vandoor om Alfonso te bevrijden. Zijn persoonlijke sympathie mag dan helemaal aan de kant van Sancho zijn, hij kan niet werkeloos toezien als de ene broer de andere gevangen neemt. Een broedertwist in deze donkere tijden! Hebben de prinsen dan helemaal geen gevoel voor wat het landsbelang van hen eist? Rodrigo vindt dat Ferdinand, door het land te verdelen, een zeer betreurenswaardig besluit heeft genomen. Alleen van het bewaren van eenheid is enig heil te verwachten en nu het koninkrijk uiteengevallen is, meent hij alles op het spel te moeten zetten om de beide broers te verzoenen en tot samenwerking te brengen. Hij laat Babieca een heuvel bestijgen, waardoor hij in staat is de omgeving te overzien. Daar, in de verte, ziet hij de ruiters naderen. Hij geeft zijn paard de sporen en kiest een moeilijk begaanbaar terrein, waarmee hij de weg afsteekt en bij de kop van de troep zal aankomen. Als de eerste ruiters Rodrigo zien, houden zij hun rijdieren in. Ook Alfonso ziet Rodrigo en zijn hart springt op van vreugde, omdat hij begrijpt hoe efficiënt zijn zuster gereageerd heeft. Maar waarom is hij alleen? Wat kan hij tegen een overmacht van dertien bewapende ruiters beginnen?
'Geef uw gevangene op, of ik haal hem!' zegt Rodrigo op besliste toon.
Minzaam antwoordt de aanvoerder: 'Wij zijn met z'n dertienen en u bent alleen!'
'Wat u doet is tegen Gods wetten. Al was u met dertien maal dertien, dan nóg was ik niet alleen.'
En na die woorden stuift Rodrigo met getrokken zwaard op de mannen af. Die zijn door zijn bliksemsnelle actie zo overrompeld dat de helft al gevallen is, voordat ze tot de verdediging konden

overgaan. Maar dan is het al te laat. Rodrigo laat zijn zwaard wild in het rond suizen, waardoor de een na de ander in het stof bijt. Van de verwarring heeft Alfonso gebruik gemaakt om zijn handen los te trekken, en de onoplettendheid van zijn bewaker benut hij door hem snel zijn dolkmes te ontfutselen en hem neer te steken De dertien mannen zijn geveld. Alleen Rodrigo en Alfonso zitten nog in het zadel. Verbluft ziet Alfonso zijn onverwachte redder aan. Voor de zoveelste keer heeft Rodrigo het onmogelijke gepresteerd.
'Wat voor soort man bent u eigenlijk?'
'Ga naar uw zuster in Calahorra... daar zult u veilig zijn,' is Rodrigo's enige antwoord.
En Alfonso, enkele uren daarvoor nog overtuigd dat hij het in de toekomst voor het zeggen zou hebben, vertrekt op bevel van El Cid gehoorzaam naar zijn zuster in Calahorra...

Ben Yusof zit niet stil.
Zijn verspieders zijn voortdurend in de weer om hem over de stand van zaken in het vijandelijke kamp op de hoogte te houden. Hij wacht op de gelegenheid die in één klap Spanje in zijn macht zal brengen. En zie, het heeft er alle schijn van dat Allah hem welgezind is. Men komt hem de dood van Ferdinand melden. Dat is een mooi ding, maar er is méér! De koning heeft voor zijn sterven het rijk verdeeld en over dat feit zijn zijn nakomelingen al slaags geraakt. Prachtig! Nu is het zijn beurt om een zet op het schaakbord van de politiek te doen.
Op een volkomen onverwacht ogenblik verschijnt hij voor de poorten van Valencia, waar zijn zetbaas Al Kadir het bestuur – of wat daar voor moet doorgaan – vormt.
Want Al Kadir heeft het uitzonderlijk druk zijn vette lijf vol te stouwen, en zich te laten verwennen door de mooiste meisjes uit de stad. Aan de eisen die hij aan het leven stelt is voldaan: veel en lekker eten, veel en mooie vrouwen. Om dat te kunnen bereiken, moet er soms gevochten worden, maar dat zijn zaken die hij tot nu

toe uitstekend heeft weten te regelen. Met geld en goede woorden kan men altijd mensen vangen en zowel geld als goede woorden kan men weer terugnemen, nietwaar? Genotzuchtig is hij bezig aan een stuk gevogelte te kluiven, één meisje om zijn hals, een ander aan zijn knieën, als de deur wordt opengegooid en er een zwarte gedaante met een despotische blik ten tonele verschijnt.
'Eruit! Jullie allemaal!' schreeuwt die, als hij het stuitende tafereel opgenomen heeft. Ben Yusof, bezeten van begeerte de wereld te veroveren, heeft geen tijd voor copieuze maaltijden en zinnelijke genoegens. Volkomen overdonderd laat Al Kadir het voedsel vallen, en het vrouwvolk neemt gillend de vlucht. Al Kadir werpt zijn dikke lijf ter aarde.
'Wat een eer, mijn Meester Ben Yusof, wat een eer!'
'Allah zij geprezen! Ons ogenblik is gekomen. Koning Ferdinand is dood. De jonge koningen hebben ruzie.'
De zinnen klinken kort en afgebeten. In zijn ogen gloeit de waanzin van de blinde fanaticus. Al Kadir is bang voor Ben Yusof. Onvoorstelbaar bang. Hij voelt in die asceet een potentiële tegenstander die over zijn leven zou beschikken als hem dat nodig zou lijken. Daarom is hij bereid alles voor hem te doen om zich vooral van diens blijvende gunsten te verzekeren, wat op zichzelf al een levensvervulling kan worden genoemd.
'Ach, hebben de jonge koningen ruzie,' teemt hij onderdanig. 'Dat heeft Allah in zijn wijsheid zo beschikt.'
'En nu zal Allah het zo beschikken dat de ene broer de andere doodt...'
'Hoe zal dat gebeuren?' vraagt Al Kadir met gespeelde verbazing.
Ben Yusof wenkt een sinister uitziend mannetje, dat hij zijn zwarte sluier van het gezicht rukt.
'Daar zal hij voor zorgen. Het gerucht zal zich verspreiden dat de ene broeder de ander heeft gedood. Er zal verwarring ontstaan. Er zal revolutie uitbreken. Het koninkrijk zal in tweeën worden gescheurd. En als de legers zijn leeggebloed, breng ik mijn legioenen uit Afrika!'

‘Een meesterlijke strategie!’ fleemt Al Kadir.
‘Als ik aan land ga, kunnen ze Valencia aanvallen. U moet de stad houden. Begrepen?’
‘Ik heb het begrepen, zeer vereerde Meester.’
Ben Yusof gaat naar de deur. Voor hij vertrekt, keert hij zich om en richt zijn blik op de nog steeds op de grond liggende figuur. Zijn verachting voor Al Kadir is minstens zo groot als diens angst voor hem. Hij neemt zich voor tijdig met deze weerzinwekkende bondgenoot af te rekenen.
‘Ik laat mijn lijfwacht hier,’ zegt Ben Yusof op scherpe toon. ‘Dan ben ik er tenminste zeker van dat u het begrijpt.’
Zo onverwacht zijn verschijning opdoemde, zo onverwacht verdwijnt die heerser over dood en leven met lange stappen, zijn zwarte kleren achter hem aanwapperend.

Sancho's dood

Waarin Urraca haar broer als een tijgerin verdedigt,
Rodrigo vergeefs probeert te bemiddelen,
en Sancho door de hand van een betaalde moordenaar
om het leven wordt gebracht...

Rodrigo keert terug naar het kasteel in Burgos en arrangeert een ontmoeting met Sancho, die hij van Alfonso's bevrijding op de hoogte brengt. Hij wijst hem er op dat tweespalt tussen de beide broers op dit moment uiterst gevaarlijk is, aangezien die door de vijand benut kan worden.

Maar Sancho is niet bereid tot luisteren. Hij heeft het gevoel dat hij zich te lang in de luren heeft laten leggen door het gekonkel van zijn broer en zuster, en is vastbesloten aan die situatie voorgoed een eind te maken. Hij is bijzonder verontwaardigd over Rodrigo's tussenkomst en verwijt hem op een heilloze manier in zijn zaken te hebben ingegrepen. Sinds wanneer stond Rodrigo aan Alfonso's kant? Had hij door Alfonso te bevrijden niet vanzelfsprekend toegestemd in een verdeling van het koninkrijk? Het was beter Alfonso in de kerker werpen dan een burgeroorlog te riskeren! Wat jammerde Rodrigo over samenwerking? Die was mogelijk geweest als zijn vader in zijn kortzichtigheid niet het rijk in tweeën had gesplitst. Nee, Sancho volhardt in zijn plan Alfonso gevangen te nemen, al zou Calahorra daarvoor belegerd moeten worden!

Rodrigo is diep bedroefd door Sancho's besluit, dat een verwijdering tussen hem en de prins betekent.

Als Sancho met zijn leger op weg gaat naar Calahorra, komt er langs een omweg een boodschapper van Urraca bij Rodrigo met

een verzoek om bijstand. Rodrigo, die nog een flauwe hoop koestert een ramp te kunnen afwenden, gaat snel op weg.
Achter de vestingmuur staand, ziet Alfonso hoe de troepen van zijn broer de stad omsingelen en de angst grijpt hem naar de keel.
'Urraca! Urraca!' roept Sancho's stem vervaarlijk.
'Laat me niet gevangen nemen, Urraca,' smeekt Alfonso.
'Kom, ga maar naar binnen,' zegt Urraca met een geruststellend handgebaar.
'Urraca!' klinkt het opnieuw van beneden. 'Je hebt onderdak verleend aan mijn broer. Ik eis dat je hem onmiddellijk loslaat!'
'Je hebt niets te eisen! Dit is mijn stad!'
'Laat ogenblikkelijk de gevangene los, anders valt mijn leger aan!'
'Alfonso blijft bij mij!' snauwt Urraca terug, waarna ze zich verwijdert.
'Je krijgt tot zonsopgang de tijd!' schreeuwt Sancho nog.
Met een bezorgde trek op haar gezicht wil Urraca naar binnen gaan, als ze Dolfos, een van de adviseurs van haar overleden vader, naar zich toe ziet komen.
'Wat zou het de jonkvrouw waard zijn als Sancho ervan kon worden weerhouden tegen haar stad op te trekken?'
'Wie zou zoiets kunnen doen?'
'Ik zou het kunnen doen, maar ik stel bepaalde eisen.'
Urraca ziet Dolfos onderzoekend aan. Dan wenkt ze hem haar te volgen en beiden verdwijnen naar binnen, waar de ene dienst tegen de andere uitgewisseld wordt.

Rodrigo heeft Calahorra bereikt en wordt met spoed bij Urraca en Alfonso toegelaten.
'De hemel zij geloofd dat u gekomen bent,' begroet Alfonso hem opgelucht.
'Waarom hebt u mij laten komen, heer?' Rodrigo is zeer gereserveerd, bevreesd als hij is in de broedertwist te worden betrokken.
'Sancho dreigt de stad te belegeren als ik me niet voor zonsopgang overgeef.'

'Help ons, Rodrigo,' valt Urraca haar broer bij.
'Wat kan ik nog doen als de ene broer het zwaard opheft tegen de andere?'
'Als je je bij ons zou voegen, zouden vele ridders volgen,' pleit Urraca.
Rodrigo is de twist met Sancho niet vergeten. Hij heeft hem niet van deze heilloze expeditie kunnen weerhouden, maar hem afvallen is een andere zaak.
'Dat kan ik niet doen, jonkvrouw. Ik heb bijstand gezworen aan Sancho.'
'En aan Alfonso! En aan mij!' Urraca's ogen fonkelen van boosheid.
'Als ik de ene broer help, dan schend ik daarmee het vertrouwen van de ander. Ik kan dus geen van beiden helpen.'
'Maar Sancho zal Alfonso doden,' werpt Urraca Rodrigo als laatste troef voor de voeten.
Maar Rodrigo bevindt zich in het niemandsland dat neutraliteit heet en is voor dat argument onbereikbaar geworden.
'Wat er ook gebeurt, gebeurt zonder mij.'
Maar zo gemakkelijk zou hij er toch niet vanaf komen.

Met een boos gezicht en in het vaste voornemen zijn wil door te drijven, beent Sancho in zijn tent heen en weer. Hij vreest dat Urraca ook tegen zonsopgang niet zal besluiten Alfonso te laten gaan. Daarvoor kent hij haar voldoende. Ze zal haar broer verdedigen als een tijgerin, denkt hij meesmuilend. Ze spelen hoog spel.
Hij kan twee dingen doen: de poort bestormen en een doorgang forceren, of, zoals hij heeft aangekondigd, een beleg. Hij moet beide mogelijkheden eens rustig overdenken...
Een ruiter nadert zijn tent. Sancho, geïrriteerd omdat zijn gedachten worden gestoord, gaat kijken wie het is. Dan herkent hij Dolfos, een figuur waar zijn vader veel vertrouwen in had, maar die hij niet mag omdat hij zich wel eens ongepaste opmerkingen had laten ontvallen over de verhouding van Urraca en Alfonso,

terwijl hij in hun tegenwoordigheid juist bijzonder onderdanig was. Een dergelijke handelwijze stuitte hem tegen de borst, en hij had nooit veel pogingen gedaan zijn antipathie voor Dolfos te verbergen.
'Ik heb woorden die alleen voor uw oren bestemd zijn, Sire.'
Dolfos doelt op de wachten voor de tent en Sancho verzoekt hem daarom binnen te komen.
'Welnu...?' Het is niet zonder hooghartigheid dat Sancho dat woord uitspreekt.
'Er is een manier om zonder slag of stoot Calahorra in te nemen. Ik ben bereid u daarbij te helpen.'
Het aanbod is te mooi om waar te zijn en Sancho reageert dan ook met een wantrouwend: 'Waarom zou u dat voor mij doen?'
'Omdat ik het niet kan aanzien dat het land in een burgeroorlog wordt gestort.'
Een uitstekend argument. Maar nog niet goed genoeg om Sancho's wantrouwen helemaal weg te nemen.
Dolfos vervolgt op samenzweerderstoon: 'Ik weet een onbewaakte poort. Ik zal u erheen brengen...'
Sancho trekt zijn zwaard. Als dit een valstrik mocht zijn, dan wil hij het liever meteen weten.
'Ik weet dat mijn vader u vertrouwde, Dolfos, maar één verdachte beweging...'
'Maar Sire, ik ben ongewapend!' Dolfos spreidt zijn handen en grijnst breed.
Sancho ziet de lege handen. Maar wat hij niet ziet en ook niet kán zien, dat is de dolk die ergens in een muurspleet steekt...
Arme Sancho.
Nadat hij zijn hele jeugd de vriendschap tussen Urraca en Alfonso had verdragen en zijn isolement als iets vanzelfsprekends geaccepteerd, is na het gevecht met Alfonso, zijn behoefte zich als oudste broer nu eens duidelijk tegenover die twee te stellen zó groot geworden, dat hij zich in de val laat lokken. Niet zonder achterdocht, dat is juist het vreemde. Waarom anders het zwaard gevat?

'Waar is die poort?' vraagt hij kort. Hij vindt het onaangenaam de steun van een man als Dolfos te moeten aanvaarden, maar hij heeft geen keus. Dolfos wenkt hem mee te gaan.
Gedekt door het duister sluipen ze langs de muur die Calahorra omgeeft. Dolfos gaat voor, Sancho volgt hem met een onbehaaglijk gevoel. Hij grijpt zijn zwaard steviger vast.
'Ik zie geen poort.'
'Nog een klein stukje verder, Sire.'
Bij een bocht gekomen, houdt Dolfos stil en wenkt Sancho naast zich. Hij wijst op een niet duidelijk te onderscheiden plek in de muur, een eind verderop.
'Daar, ziet u, om de hoek!'
In zijn inspanning beter te kunnen zien, doet Sancho een stap vooruit en van die gelegenheid maakt Dolfos gebruik om met een snelle beweging de dolk te griipen en hem in zijn rug te steken. Met een kreet stort Sancho ter aarde.
Dolfos rent terug naar de poort en beukt met beide handen verwoed op de deur.
'Open de poort! Open de poort!'
Rodrigo, die zich na het onderhoud met Urraca en Alfonso in de omgeving was blijven ophouden, hoorde Sancho's schreeuw en kort daarop de stem van een onbekende die toegang eist. Snel gaat hij op het geluid af, ziet Sancho op de grond bij de muur liggen en begrijpt meteen wat er gebeurd is. Hij ijlt naar de poort en voordat die gesloten kan worden, heeft hij zijn voet er tussen gewrikt.
Hij duwt met alle kracht. Ondanks de tegenstand van binnenuit, wijkt de deur langzaam verder en verder. Voordat de persoon aan de andere kant de vlucht kan nemen, heeft Rodrigo zich met zijn zwaard op hem gestort. Een tweede doodskreet stijgt op naar de nachtelijke hemel.
Als Rodrigo bij Sancho komt, is hij stervende.
'Rodrigo...' stamelt Sancho.
'Sancho, mijn arme Sancho...' Rodrigo's stem is vol medelijden.
'Ik was bijna koning, nietwaar?'

'U bent koning, heer.' Rodrigo brengt het zwaard naar Sancho's lippen, zodat hij het kussen kan: een late bezegeling van zijn koningschap... Dan dooft het licht in zijn ogen en Rodrigo houdt opnieuw een dode vriend in zijn armen.

Verbannen!

Waarin Urraca haar nicht iets komt vragen,
Alfonso meineed pleegt, Rodrigo wordt verbannen,
en Jimena vindt dat haar vader is gewroken.

Het klooster van San Pedro is een oase van rust in het tumultueuze land, dat aan een burgeroorlog ten offer dreigt te vallen. Het nieuws van koning Ferdinands dood is er doorgedrongen, maar van het geruzie dat zich rond de troonsopvolging afspeelde, resulterende in de moord op Sancho, zijn de zusters noch Jimena op de hoogte. Jimena bevindt zich in haar cel, een ruim, licht vertrek, en zij houdt zich bezig met borduurwerk. Het gezang van de vogels dringt van buiten de muren tot haar door en doet haar nu en dan glimlachend luisteren. Ze is in een toestand van innerlijk evenwicht gekomen, nu ze niet meer voortdurend heen en weer geslingerd wordt tussen haar gevoelens van vrouwelijke liefde en kinderlijke plicht. Zij heeft, zoals ze het voor zichzelf noemt, met beide gevoelens een wapenstilstand gesloten, ook al begrijpt ze dat daarmee het dilemma de wereld niet uit is. Het bericht van Ferdinands dood heeft haar veel verdriet gedaan, want ze hield veel van haar rechtvaardige en beminnelijke oom. Zij vroeg zich af wat er ten aanzien van de troonsopvolging beschikt zou zijn. Voor de hand lag dat Sancho nu koning zou worden, maar het voor de hand liggende gebeurde niet altijd en het nauwelijks verhulde gestook van Urraca was haar niet ontgaan. Was niemand ontgaan, behalve Sancho... Zou Sancho koning worden, dan bleef Rodrigo zeker zijn eervolle functies van campeador van de koning en opperbevelhebber van het leger bekleden, maar als het rijk verdeeld zou worden?

Terwijl de naald in haar vlijtige handen steek na steek het fijne borduurwerk voltooit, wordt haar oor getroffen door een bekende, snelle stap op de gang.
Hoe goed kent zij die stap!
Wat zou Urraca ertoe bewegen haar in haar afzondering te bezoeken? Het moesten zeker zaken van groot belang zijn, want de tocht van Burgos naar Cardeña was ver, en Urraca hield niet van reizen.
De deur gaat open en Urraca, gekleed in een eenvoudig, zwart reistenue, komt binnen. Ze slaat haar sluier terug en haar gezicht wordt zichtbaar. Jimena ziet direct dat zij wat komt vragen. Dat was Urraca's manier van kijken als ze iets van haar wilde hebben. Een tikje mokkend, als een verwend kind, de ogen half geloken, om ze daarna met een volle, onschuldige blik naar haar op te slaan, de onderlip pruilend half vooruit gestoken.
Thuis, op het kasteel in Burgos, begon het ook altijd met deze manier van kijken, maar o, wat kon haar gezicht veranderen als ze haar zin niet meteen kreeg. Dan werden haar ogen groot en hard als glas en het samengetrokken pruilmondje werd een brede, wrede streep. Jimena kent alle tekenen al van oudsher en besluit op haar hoede te zijn. Urraca doet enkele stappen naar binnen en aarzelt zichtbaar. Dan zegt ze met haar diepe, volle stem: 'Ik ben niet naar je toegekomen als koningin.'
In die enkele zin wordt aan Jimena een wereld van intriges geopenbaard. Het koninkrijk is dus verdeeld! Urraca heeft voor Alfonso en haar een stukje in de wacht weten te slepen en nu waant ze zich koningin! Arm Spanje, arme Sancho!
Jimena nijgt het hoofd en groet, iets te minzaam: 'Hoogheid...'
Urraca frunnikt wat nerveus aan haar handschoen.
Op het kasteel in Burgos, waar ze op eigen terrein was, was Jimena, alleen al uit hoofde van haar mindere rang, een gemakkelijke prooi voor haar. Daar kon ze vragen als ze iets hebben wilde; ze kon het ook nemen – al naar gelang haar stemming. Dat was het voordeel van dingen; je kon ze pakken. Moeilijker werd het als je

een ander zover moest zien te krijgen dat die iets ging dóen.
In dat geval diende het zwaarste geschut in stelling te worden gebracht. Helemaal het kleine meisje, met de ogen rond en onschuldig, de lippen tot een cirkeltje getuit, zegt ze dan ineens met haar diepe, donkere stem, die zo in tegenstelling staat tot haar manier van kijken: 'Ik weet best dat je nog van Rodrigo houdt...'
Ze slaat haar ogen neer als een toonbeeld van ingetogenheid en voegt eraan toe: 'En Rodrigo van jou...'
De onoprechtheid in Urraca's manier van spreken doet Jimena's nekharen overeind staan van strijdlust, maar ze weet zich uiterlijk in bedwang te houden.
Er moeten wel ernstige redenen zijn voor Urraca om de liefde van Rodrigo en haar in het spel te brengen, peinst ze en ondanks zichzelf moet ze glimlachen.
Laat Urraca daarvan denken wat zij wil!
'U hebt een zware en vermoeiende reis gehad om hierheen te komen, Hoogheid.'
Het sarcasme in dat ontwijkende antwoord ontgaat Urraca niet en al probeert ze de pose van pruilend kind nog vol te houden, haar feekskwaliteiten beginnen al duidelijker naar voren te komen.
'Rodrigo mag dat niet doen!' flapt ze er fel uit. 'Dat kunnen Alfonso en ik niet toestaan!'
Dan bindt ze haastig weer in en fluistert zoetsappig: 'Hij zal naar jou wel luisteren...'
Nu wordt Jimena toch wel nieuwsgierig. Wat zou die wonderlijke man van haar nu weer voor plannen hebben, die Alfonso en Urraca zo mishagen dat haar nicht in haar poging ze te verijdelen een soort bedevaartstocht naar Cardeña maakt?
'En wat zou Uwe Hoogheid willen dat ik Rodrigo zeg?'
'Hij verlangt dat Alfonso in het openbaar een eed op de bijbel aflegt, en verklaart dat hij onschuldig is aan de dood van Sancho.'
Sancho dóód!
Mijn hemel, ze deinzen ook voor niets terug om hun doel te bereiken, denkt Jimena geschrokken.

Maar haar gezicht blijft van een blanke onaandoenlijkheid als ze op suikerzoete toon opmerkt: 'En, Hoogheid, is hij daar dan níét onschuldig aan...?'
Urraca wordt razend om de onverstoorbaarheid en onbewogenheid van haar nicht, wie zij voor het eerst van haar leven iets niet kan afdwingen.
'Je móét met Rodrigo praten. Je móét zeggen dat dat te ver gaat. Dat begrijp je toch wel?'
Jimena begrijpt het uitstekend. Aangespoord door hebzucht en ambitie hebben Urraca en haar broer Sancho uit de weg laten ruimen en Rodrigo heeft dat doorgrond. En nu eist hij voor God en het volk een bewijs van zijn schuld... of van zijn onschuld.
'Ik heb het heel goed begrepen, Hoogheid.'
Urraca is er niet helemaal zeker van dat Jimena haar missie zal vervullen, en de feeks in haar heeft het laatste woord nu het vleiende kind het tegen die muur van hooghartigheid moet afleggen.
'Geen mens kan een koning vragen te zweren! Geen mens, versta je?'
Urraca slaat haar sluier voor haar glasharde ogen en haar samengeknepen lippen en verlaat met driftige passen het vertrek.
Diep in gedachten blijft Jimena achter.
De onverkwikkelijkheden rondom de troonsopvolging zijn haar volkomen duidelijk. Sancho had zich vanzelfsprekend verzet tegen een verdeling van het koninkrijk en dat had hem het leven gekost. Urraca noch Alfonso hadden hun handen vuil gemaakt en Sancho was gevallen door de hand van een gehuurde moordenaar. Rodrigo koesterde kennelijk nog enige twijfel aan Alfonso's medeplichtigheid, maar zij, Jimena, niet. Natuurlijk was de hele opzet van Urraca uitgegaan, maar Alfonso moest ervan geweten hebben en had zich niet verzet.
Jimena voelt dat het nutteloos zou zijn te proberen Rodrigo van zijn plannen te weerhouden. Hij wil zijn twijfel vervangen door zekerheid, en zal daarbij niet terugdeinzen voor een krachttoer die voor hem persoonlijk wel eens zeer onaangename gevolgen zou

kunnen hebben. Maar als Alfonso en Urraca zelfs geen scrupules hebben om hun eigen broer uit de weg te laten ruimen, welke kansen heeft Rodrigo dan als zij hem niet van zijn plan kan afbrengen?
Jimena probeert haar borduurwerk weer op te nemen, maar het is met haar rust gedaan. Na enkele steken springt de angst in haar keel omhoog. Rodrigo is in gevaar!
Het minste dat ze kan doen is: zorgen dat ze in zijn nabijheid is!

In dezelfde kathedraal van Santa Gadea, waar Jimena en Rodrigo in de echt verbonden zijn, staat nu de jeugdige koning Alfonso op het punt zijn eerste proclamatie voor te lezen.
Hij lijkt heel rustig, Alfonso, maar inwendig is hij aan grote onzekerheid ten prooi. Hij is er helemaal niet van overtuigd dat de missie van zijn zuster is geslaagd. De houding van Jimena leek op zijn minst twijfelachtig. Zeker, ze is bij de plechtigheid aanwezig, Alfonso heeft haar onder de gasten gezien – maar Rodrigo, die hij voortdurend in het oog heeft laten houden, heeft ze niet ontmoet.
Don Garcia Ordoñez treedt naar voren en overhandigt de geschreven proclamatie aan Alfonso, die, met een vorsende blik over zijn onderdanen, het stuk ontrolt. Dan verheft hij zijn stem.
'Voor God en de aanwezigen schenk ik vergiffenis aan hen die tegen mij gestreden hebben. Ik beloof hen te verdedigen en gunsten te verlenen, zoals ik hen zal verdedigen en gunsten zal verlenen die altijd loyaal jegens mij geweest zijn. Dit is mijn geschreven eed, die ik de heilige kerk als onderpand toevertrouw.'
Schijnbaar ontspannen, maar innerlijk op zijn hoede gaat hij voort: 'Castilianen! God heeft mij geroepen om uw koning te worden. Nu vraag ik u voor mij te knielen als bewijs van uw toewijding!'
Met veel gekletter van wapenrusting knielen de Castilianen, en Alfonso's blik gaat onderzoekend de rijen langs.
De beginnende glimlach om zijn mondhoeken bevriest als zijn ogen blijven rusten op de figuur van één man die niet is neerge-

knield. Eén man in die grote menigte, die nog op zijn voeten staat en zich niet verroert! Rodrigo…

Er valt een stilte.

Blikken vliegen flitsend heen en weer. Van Jimena naar Urraca, van Urraca naar Alfonso, van Alfonso naar Rodrigo. Zegevierende blikken, verbijsterde blikken, bevelende blikken.

Rodrigo voelt dat Alfonso hem met zijn ogen wel tot knielen zou willen dwingen, maar hij kan niet… Hij is niet zo gelukkig met dit vertoon van onafhankelijkheid. Het liefst zou hij met de anderen geknield zijn, ware het niet dat hij zijn knagende twijfel wil vervangen door zekerheid, hoe dan ook. Het is trouwens niet alleen voor zichzelf dat hij daar zo blijft staan, het is evenzeer voor al die andere mannen bij wie dezelfde twijfel leeft. De gemompelde verdenkingen die zij onder elkaar hebben uitgewisseld, zijn hem wel ter ore gekomen…

'Rodrigo Díaz van Bivar,' Alfonso probeert zijn stem te beheersen, maar een lichte beving van woede klinkt er toch in door, 'waarom onthoudt u mij als enige uw bewijs van toewijding?'

Rodrigo doet een stap naar voren. Het hachelijke van de situatie geeft zijn bewegingen iets onhandigs, iets onzekers. Niettemin, als hij spreekt, klinkt zijn stem vast en helder.

'Sire, al deze mannen hier koesteren de verdenking dat u de hand hebt gehad in de dood van uw broer, al durft niemand het hardop zeggen. Totdat uw schuld of onschuld zal zijn aangetoond, zult u geen loyale onderdanen hebben en zal uw koninkrijk door twijfel worden verscheurd. Daarom kan ik u niet aanvaarden als mijn vorst.'

Ontroerd hoort Jimena de woorden van die moedige eenling. Wat een karaktervastheid is er nodig om temidden van een dociele menigte je eigen standpunt te verdedigen, koste wat kost! Op het plein gaat de woordenstrijd verder.

'Wat kan u van mijn onschuld overtuigen?' vraagt Alfonso boos.

'Uw eed op de bijbel!' antwoordt Rodrigo rustig.

'U vraagt mij te zweren?' Alfonso doet geen moeite meer zijn gevoelens in bedwang te houden. Zijn ogen flitsen toornig.

'Dat vraag ik, Sire.'
Tussen de uitgesproken zinnen kan men een speld horen vallen!
Alfonso kijkt om zich heen alsof hij ergens uit die knielende menigte hulp verwacht. Iemand die die weerspannige tot de orde zal roepen. Maar het blijft doodstil. Niemand staat op, niemand schijnt zijn partij te kiezen, althans geen van de soldaten, waaruit hij straks een bekwaam en betrouwbaar leger moet rekruteren. De krachtmeting is begonnen!
'Goed dan!' roept Alfonso uit. Hij keert zich om en loopt met bruuske, afgemeten stappen naar de tafel toe, waaromheen de hoge geestelijkheid geschaard staat en waarop de bijbel ligt.
Opnieuw draait hij zich om, zodat zijn gezicht naar het volk is gekeerd. Met zijn rechterhand omvat hij krampachtig de bijbel.
'Zweert u,' vraagt Rodrigo, hem recht in de ogen kijkend, 'dat u geen opdracht hebt gegeven koning Sancho te doden?'
'Dat zweer ik!'
In de overtuiging dat de beproeving achter de rug is, laat Alfonso de bijbel los.
Hoe brandde die in zijn vingers!
Maar Rodrigo is nog niet voldaan. Hij grijpt Alfonso's rechterhand en legt die terug op de bijbel.
'Zweert u dat u niet betrokken bent geweest bij het beramen van koning Sancho's dood?'
'Dat zweer ik!'
'Zweert u ook, dat u de dood van koning Sancho zelfs niet hebt overwogen?' Rodrigo voelt de toenemende weerspannigheid in Alfonso's pols, die hij met een ijzeren greep op de bijbel houdt.
'Ik zweer het!'
Alfonso schreeuwt het nu uit. Hij rukt zijn hand los en Rodrigo ontkomt ternauwernood aan een vuistslag.
Ieder ander menselijk wezen – hoe moedig ook – zou het hierbij gelaten hebben. Niet Rodrigo.
Nu hij eenmaal begonnen is, zal hij ook alles zeggen wat er te zeggen valt.

'Als dit een meineed zou blijken, zult u een dood sterven zoals uw broeder stierf; in de rug neergestoken door de hand van een sluipmoordenaar. Zeg Amen!'
Wit van drift kijkt Alfonso de man voor hem aan. Zijn neusvleugels trillen, zijn kin beeft. Zo'n belediging ten overstaan van zijn eigen volk!
'Je gaat te ver, Rodrigo!' sist hij hem toe.
Maar opnieuw pakt Rodrigo Alfonso's pols en slaat de hand met kracht op de bijbel.
'Zeg Amen!'
'Amen,' brengt Alfonso moeizaam uit. De strijd is gestreden. Rodrigo heeft volledige satisfactie. Hij knielt voor zijn, nu door hem erkende, koning neer en wil plechtig zijn hand kussen, maar Alfonso rukt die los, alsof hij door een slang werd gebeten.
Rodrigo staat op, maakt een hoofse buiging en keert naar zijn plaats terug.
Jimena, volkomen overstuur door wat zich heeft afgespeeld, heeft haar plaats tussen de andere gasten verlaten en rent de trappen af naar het binnenplein. Ze wil in elk geval horen wat Alfonso in antwoord op Rodrigo's uitdaging denkt te ondernemen.
Want dat er iets staat te gebeuren is wel zeker. Verscholen achter een deur hoort ze gedempte stemmen en als ze voorzichtig om de hoek gluurt, ziet ze hoe Alfonso de kamerheer een document overhandigt.
Dan hoort ze, met ingehouden adem, de verbanning over Rodrigo uitspreken. Verbannen voor het leven.
Beroofd van have en goed. Ten prooi aan een langzame hongerdood, want het is de onderdanen van de koning verboden hem onderdak of voedsel te geven.
De grote stilte die straks over het plein hing, heeft nu bezit genomen van Jimena. Ze dankt God dat Hij met deze wreedste van alle straffen haar vader heeft gewroken, en dat Hij het in zijn goedertierenheid zo heeft beschikt dat niets een hereniging met haar man meer in de weg staat.

Man en vrouw

Waarin Rodrigo een thuis verliest maar zijn vrouw vindt, een geheimzinnig meisje een soort luilekkerland wijst, en man en vrouw, man en vrouw worden

Er kwamen nog droevige dagen, toen Rodrigo op het kasteel in Burgos zijn laatste zaken afhandelde.
Van Urraca en Alfonso hoorde of zag hij niets en het vertrouwde personeel reageerde zeer verschillend op hem. Sommigen keken schichtig een andere kant uit, anderen daarentegen zonden hem door middel van hun ogen een alleen voor hem zichtbare groet. Die stille bewijzen van aanhankelijkheid deden hem meer deugd dan de verloocheningen hem verdriet deden. Lafheid en gemakzucht waren immers gemeengoed, daarover wond men zich niet op; men verheugde zich daarentegen over hen die een vriend als vriend durfden herkennen, al was het slechts door een oogopslag.

Mistroostig neemt Rodrigo afscheid van de vertrouwde ruimten, en hij bedenkt nog hoe goed het is dat Jimena hem verlaten heeft. Wat had hij haar nu nog te bieden?
Gelukkig hoeft hij niet als ridder te voet het land te verlaten. Zijn trouwe Babieca, die hem al in menige strijd heeft gediend, mag hij houden, evenals een lastpaard dat hij nu gaat opladen met de povere resten van wat eens aanzienlijke bezittingen waren geweest.
Bij het betreden van de stal wordt hij gepasseerd door Fañez en Bermudez, die hem veelbetekenend toeknikken.
De groet van die getrouwen brengt Rodrigo van zijn stuk. Nu pas dringt het tot hem door hoe verlaten hij is. Fañez en Bermudez!

Rodrigo herinnert zich het huwelijksmaal en hun mislukte pogingen een gesprek op gang te brengen en Jimena te bewegen de goede wijn van Bivar te proeven.
Jimena! Zijn vader! Bivar! Nauw met hen verbonden, maar onbereikbaarder dan ooit!
Hij legt zijn hand op de neus van Babieca, die zijn hoofd naar hem opheft alsof hij hem wilde troosten. Dan belaadt hij het lastpaard met zijn wapentuig, harnassen, schilden, enkele dekens en een kistje met kleinodiën.
Dit is alles wat je nog bezit, Rodrigo! Twee paarden om je te vervoeren, een paar dekens om je tegen de nachtelijke kou te beschermen en wapens om je te verdedigen. Hoever zul je ermee komen, Rodrigo?

Een kleine, trieste stoet maakt zich los van een vertrouwde omgeving, die voedsel verschafte na elke honger en rust na vermoeienis. Een eenzame man trekt met twee paarden door het land, dat hem het één noch het ander mag geven.
Verbannen!
Rodrigo gaat door de stad, waar verschrikte mensen hem herkennen en zich uit de voeten maken.
Dan ligt het land wijd en eenzaam voor hem.
Het hoofd vol sombere gedachten, wendt Rodrigo zijn paard in de richting van de weg met de kruisen, de kortste route naar de grenzen van het rijk, waarbuiten hem deels vijandige, deels goedgezinde Moren wachten.
Het is zaak zo snel mogelijk die tweede groep te vinden! In de verte klingelt het belletje van een melaatse, een ander soort banneling, die door zijn ziekte gedoemd is ver van de bewoonde wereld te blijven.
Als Rodrigo hem genaderd is, strekt de ongelukkige zijn hand naar hem uit.
'Ik heb dorst, heer ridder, ik heb dorst... Er is in deze omgeving geen bron, waaruit een melaatse drinken mag. Ik heb dorst...'

Rodrigo wordt vervuld van droefheid als hij de deerniswekkende, in lompen gehulde gestalte van de zieke ontwaart, zijn kruis met de bel als een eeuwige last met zich torsend. Zijn gezicht is bedekt door een doek, om voorbijgangers de afschrikwekkende aanblik van zijn aangevreten uiterlijk te besparen.
Rodrigo tast naar zijn waterkruik, die hij zo zorgvuldig heeft ontzien. Ook voor hem is water van levensbelang, want uit welke bron mag hij putten?
Desondanks overhandigt hij de zieke zijn kruik.
'Hier, voor u.'
De melaatse slaat de doek van zijn gezicht terug en met afgrijzen ziet Rodrigo een gezicht waarin geen menselijke trekken meer te herkennen zijn. De zieke neemt gulzig een slok en wil de kruik dan weer teruggeven.
'Hou maar,' zegt Rodrigo. 'Drink het, ik vind nog wel een bron.'
'Heb dank, heer Cid.'
'Hoe weet u mijn naam?' vraagt Rodrigo verwonderd. Het antwoord leert hem dat hij minder eenzaam is dan hij dacht.
'Er is maar één man in Spanje die het waagt een koning te vernederen en een melaatse van zijn eigen water te drinken geeft.'
'Wie bent u?' vraagt Rodrigo belangstellend.
'Men noemt mij Lazarus... Mogen helpende handen naar u worden uitgestoken waar u gaat, heer Cid.'
Ontroerd keert Rodrigo naar zijn paarden terug. Hij neemt het leidsel van Babieca en streelt het dier tussen de oren. Net als hij verder wil gaan, ziet hij vanuit zijn ooghoek een donkere gestalte naderen. Snel kijkt hij op. Jimena!
Zijn handen vallen slap langs zijn lichaam, Jimena! Hoe komt zij hier? Ziet hij goed of heeft zich een hallucinatie van hem meester gemaakt?
Maar kijk, haar lippen bewegen en hij hoort haar stem.
'Vergeef me, Rodrigo.'
Secondenlang staren ze elkaar aan, vechtend tegen hun ontroering.

'Jimena,' is het enige dat hij kan uitbrengen.
'Wil je me meenemen, Rodrigo?'
Meenemen? Hij? De uitgestotene, de onterfde, die niet anders bezit dan wat een lastpaard kan dragen, een vrouw meenemen in een toekomst vol onzekerheid en dreigende gevaren, vol honger en ontbering? Terwijl hij haar nog geen dak kan bieden boven het hoofd, dat gewend is aan kleedsters en hofdames en alle gerief, passend bij een vrouw van haar stand?
'Nu heb ik je niets meer te bieden, zelfs geen dak boven je hoofd,' houdt hij haar voor.
'Het is voldoende dat we bij elkaar zijn, Rodrigo. Ik hou van je...'
Nog steeds staan ze enkele meters van elkaar verwijderd.
Opnieuw fluisteren Jimena's lippen de woorden waar hij zo intens naar heeft verlangd. 'Ik hou van je...'
Dan is er geen plaats, geen tijd en geen afstand meer, dan zijn ze in elkaars armen. En in de kus die ze elkaar geven en waarin geen boze vaders meer de rol van spelbreker vervullen, uiten ze al hun liefde en verlangen.
Als zijn mond weer tot spreken in staat is, zegt Rodrigo, zijn wang tegen die van Jimena: 'Besef je wel wat je doet als je meegaat? Welke risico's je neemt?'
Jimena lacht. Wat kan haar nu nog deren? Zij heeft deze beslissing genomen met inzet van heel haar wezen, zoals zij altijd haar beslissingen nam.
'Mijn man is niet als andere mannen... mijn leven zal dus ook niet zijn als dat van andere vrouwen.'
Het dringt tot Rodrigo door dat Jimena hem eindelijk aanvaard heeft als haar man.
'Nu realiseer ik me pas hoe zwaar de weg zou zijn geweest zonder jou...'
Hij grijpt haar hand en samen gaan ze verder. De dag vordert. Haar hand ligt warm en vertrouwelijk in de zijne.
Op zijn vraag of zij voor haar vertrek gegeten en gedronken heeft,

laat Jimena een instemmend 'Mmmm' horen. Zo lopen ze uren voort, hand in hand en zonder veel te zeggen.
Rodrigo is gelukkig, maar niet zonder zorgen. De zon gaat al bijna onder. Wat zullen zij eten? Waar zullen zij slapen?
'Dorst?' vraagt hij.
Jimena knikt en wijst in de verte. Rodrigo heeft de boerderij zelf ook gezien. Zonder twijfel zal zich daar een waterput bevinden. Maar zullen de bewoners hun toestaan daarvan gebruik te maken? Zullen zij doen of zij niets zien, of zullen zij het verbieden? Ze moesten het in elk geval proberen, al was het alleen maar om de dorst van zijn vrouw en de paarden te lessen. Als ze de waterput bereikt hebben, komt er een meisje uit de boerderij naar buiten rennen.
Een kind dat nieuwsgierig is naar de vreemdelingen, denkt Rodrigo. Maar als hij het water al uit de put heeft geschept vraagt het meisje: 'Bent u de man die ze El Cid noemen?'
Rodrigo knikt vriendelijk. Men schijnt hem van verre te hebben gadegeslagen en herkend. 'Mijn vader zegt, dat ze je handen afhakken als we u helpen,' gaat het kind voort.
Rodrigo giet het water terug en legt de schep op de rand van de put.
'Mijn vader zegt, dat ze overal ogen hebben.'
Rodrigo knikt het kind toe, ten teken dat hij het begrepen heeft. Hij neemt de leidsels op en gaat verder, Jimena aan zijn hand meevoerend. Het kind gaat niet terug naar de boerderij, maar loopt springend achter hen aan.
'Maar mijn vader zegt ook dat u langzaam moet lopen. Dan zal het snel donker zijn en dan kan niemand zien dat u onze schuur binnengaat.'
Ze rent hen voorbij, wijst in de richting van de schuur en verdwijnt even plotseling als ze gekomen is.
Rodrigo ziet glimlachend op zijn vrouw neer. Hij heeft nog vrienden!
Als ze bij de schuur gekomen zijn, staan daar een man en een

vrouw op hen te wachten. Zonder een woord te zeggen, neemt de boer de leidsels over en gaat de boerin hen voor, de schuur in. Ze wijst op een vers stroleger, waarop ze zullen kunnen slapen en op een lage tafel, waar dampende schalen met voedsel op hen staan te wachten. Ook de kruiken wijn en de kroezen zijn niet vergeten. Rodrigo wil de boerin bedanken, maar als hij zich omdraait, glipt zij snel naar buiten.

'We zullen niet van honger omkomen, en ook niet sterven van dorst,' zegt Jimena vrolijk. 'Kom heer gemaal, schenk ons gauw in.'

Nog helemaal beduusd over de goede gaven die hun zonder een enkel woord geboden zijn, neemt Rodrigo de kruik op en vult de kroezen, die ze dorstig leegdrinken.

'Mmmmm,' kreunt Jimena vergenoegd en houdt hem de kroes nogmaals voor.

Rodrigo likt zijn lippen, de wijn naproevend. 'Niet slecht.'

Hij negeert de uitgestoken kroes en nodigt Jimena lachend uit aan tafel plaats te nemen. Hij heeft een geduchte honger!

'Eerst wat eten, Doña Jimena, anders stijgt de wijn u naar het hoofd.'

Opnieuw lacht Jimena. Ze is vrolijk en uitgelaten als een klein meisje. Ze proeft van de eenvoudige spijzen alsof ze aan een koningstafel de fijnste delicatessen eet, en babbelt op luchtige toon schertsend over het droeve leven aan het hof, waar altijd alles van een leien dakje ging, waar altijd iedereen voor haar klaar stond en waar de enige beslissingen die ze mocht nemen, voor haar vervelend waren.

Rodrigo sluit op haar speelse betoog aan door op te merken dat hij blij is dat hij nu eindelijk zelf zijn laarzen mag uittrekken, en dat nog wel terwijl hij aan tafel zit. Vol welbehagen strekt hij zijn vermoeide voeten. Nadat hij zijn tenen de nodige speelruimte heeft gegeven, wil hij de maaltijd voortzetten en komt dan tot de ontdekking dat de schalen leeg zijn. Jimena schatert om zijn verblufte gezicht en zijn potsierlijke houding.

'De vrouwe heeft gegeten alsof er geen maaltijd meer op volgen zou,' lacht hij dan mee.
'Mijn heer en meester daarentegen heeft nauwelijks van het voedsel genipt,' zegt Jimena. Ze staat op, knielt bij haar man neer en neemt een zakdoekje waarmee ze zijn lippen bet. 'Niettemin,' vervolgt ze schalks, 'moet ik zijn lippen afvegen, zodat hij me als dessert kussen kan.'
Rodrigo tilt zijn vrouw van de grond en drukt haar tegen zich aan. 'Jimena, mijn liefste, je lippen zijn zoeter en bedwelmender dan de wijn van Bivar.'
Ze leggen hun wangen tegen elkaar en zwijgen. Het is stil, heel stil in de schuur. Heel de natuur slaapt en de grote gele maan werpt een zacht licht door het venster naar binnen. 'Jimena... kom.'
Rodrigo staat op en tilt zijn vrouw van de vloer. Ze slaat haar armen om zijn hals en kust hem, terwijl hij haar teder op het stroleger neerlegt.
'Rodrigo... kom,' fluistert Jimena.
En zelfs de maan trekt bescheiden een wolk voor haar grote, gele ogen, als Rodrigo Jimena in zijn armen sluit.

Opnieuw gescheiden

Waarin ruiters door de nacht gaan,
het echtpaar de Bivar onverwachte gasten krijgt,
en Jimena opnieuw in het klooster gaat...

Terwijl Jimena aan Rodrigo's borst in slaap is gevallen, begint de wereld daarbuiten op een geheimzinnige manier tot leven te komen. De boer die hun onderdak verleende, heeft zijn paard bestegen en verdwijnt in galop in de richting van waaruit het jonge paar die avond is gekomen. Niet lang daarna – het is nog duister – vindt uit de stad Burgos een vreemde uittocht plaats van bewapende ruiters. Voorop rijdt, als gids, de boer. Achter hem Fañez en Bermudez, met als gevolg een naamloos leger getrouwen van Rodrigo, die weigeren te strijden onder het vaandel van koning Alfonso.
De stoet trekt op naar de boerderij waar Rodrigo ligt te slapen, onbewust van wat zich buiten afspeelt.
Langzaam begint een weinig licht in de schuur door te dringen. Jimena ontwaakt en opent haar ogen. Eerst nog zonder zich te bewegen, laat zij het heerlijke van dit ogenblik in zich doordringen. Eindelijk samen, en door niets of niemand zal zij zich ooit weer van haar man laten scheiden!
Omzichtig werkt zij zich half overeind en steunt haar hoofd op haar linkerhand. Glimlachend kijkt ze neer op de slapende man. Nu moest hij ook maar eens wakker worden! Met de vinger van haar rechterhand trekt ze speels een lijn langs zijn profiel; langs zijn voorhoofd, neus en lippen. Rodrigo, die zich slapend had gehouden, glimlacht om dat kriebelvingertje. Als ze opnieuw zijn

lippen aanraakt, maakt hij sputterende geluiden en beiden schieten in de lach.
Rodrigo rekt zich vol welbehagen uit en drukt zijn vrouw tegen zich aan. 'Ik ben bang dat we zullen moeten opstaan, voordat het te licht wordt.'
'Ssst,' bezweert Jimena. 'Nog even... We moeten dit goed onthouden. Heb jij ooit in een mooiere kamer geslapen?'
Rodrigo schudt zijn hoofd. 'Nooit.'
'Heb je ooit lekkerder gegeten?'
Opnieuw een ontkenning van Rodrigo. Hij laat zijn vingers langs Jimena's arm spelen, langs haar schouder en haar rug.
'Ik heb ook nooit heerlijker wijn geproefd, noch...'
Zijn hand streelt de gespannen welving van haar heup en hij grinnikt.
Ook Jimena moet om de dubbelzinnigheid lachen.
'Doña Jimena, míjn vrouw!' Rodrigo zucht en komt moeizaam in zittende houding overeind. Hij grabbelt onder het stro naar zijn maliënkolder.
'Ik ben zo blij,' zegt Jimena.
Rodrigo heeft zijn maliënkolder aangetrokken en vraagt zijn vrouw met een gebaar het van achteren voor hem te sluiten.
'Waarom ben je zo blij?'
Ze slaat haar armen om zijn hals en strijkt met haar wang langs de zijne. 'Omdat je niet langer campeador bent, omdat je geen ridders meer hebt en geen leger en omdat je niemand anders meer hebt dan mij. We moeten ergens een verborgen plek proberen te vinden, zoiets als dit hier, waar niemand je kent. En daar gaan we dan ons leven samen inrichten.'
Rodrigo maakt instemmende geluiden en brengt ondertussen zijn kleding in orde.
'Als iedereen wist dat verbanning zoiets betekent als dit, dan zou de wereld vol bannelingen zijn.'
Achter hem schatert Jimena het uit. Rodrigo keert zich om. Wat is ze mooi, stelt hij vast; zo met haar losse haren, haar schitterende

ogen en haar prachtige tanden. En wat klinkt haar lach aansteke-
lijk.
De wind is intussen opgestoken en brengt onbestemde geluiden de schuur binnen. Rodrigo's geoefend oor hoort ze wel, maar hij is zozeer door zijn vrouw in beslag genomen dat de betekenis ervan niet tot hem doordringt.
'Kom,' zegt hij, 'laten we jouw verborgen plek gaan zoeken, voordat anderen hem vinden.'
Kreunend in zacht protest staat Jimena op en het tere ochtendlicht omhult haar lieflijke gestalte. Rodrigo drukt haar in een laatste omhelzing tegen zich aan.
'Lieve God, bescherm de vrouw die ik bemin en die eindelijk mijn vrouw is geworden.'
De onbestemde geluiden zijn nu tot Rodrigo's hersenen doorgedrongen. Ook Jimena heeft ze gehoord. Op hun gezichten tekent zich verwondering af. Een legerschare! Wat heeft dat te betekenen?
Het heeft geen zin zich langer in de schuur te verbergen; kennelijk is hun aanwezigheid verraden.
Doelbewust loopt Rodrigo naar de deur en maakt die open.
De eerste gezichten die hij herkent, zijn van Fañez en Bermudez en daarachter de talloze onbekende gezichten van de mannen die hen gevolgd zijn.
Een oorverdovend gejuich klinkt op.
'Cid! Cid! Cid!' roept de menigte in koor.
Jimena heeft zich inmiddels ook naar buiten begeven en zij hoort het gejuich waarmee haar man begroet wordt. Ze is gevleid – héél even maar — want opeens dringt het tot haar door dat er een hele massa spelbrekers is aangetreden, die alles in het werk zal stellen haar opnieuw van haar man te scheiden.
Het gejuich neemt toe. De mannen steken in een groet hun lansen op.
'Cid! Cid! Cid!'
Rodrigo ervaart een diepe voldoening in de juichende menigte

voor hem. Gisteren, alleen met zijn vrouw, had hij geen ogenblik meer gedacht aan krijgsverrichtingen en dacht hij dat hij voldoende bevrediging zou vinden in een leven alleen met Jimena. Nu beseft hij dat een man zich pas helemaal man kan voelen temidden van soldaten en paarden. Toch vraagt hij zich af of deze mannen beseffen wat ze op het spel zetten. Als ze hem volgen, is er geen terug meer mogelijk. Ze zouden gevangen worden genomen en als deserteurs worden berecht. Het betekent het opgeven van huis, van vrouw en kinderen. Hebben ze hun daad voldoende overwogen?

Hij geeft een teken dat hij wat te zeggen heeft en het gejuich verstomt.

'Ik ben een banneling!' schreeuwt hij.

Nieuw gejuich is het gevolg.

Fañez roept: 'Zonder u zijn we allemaal bannelingen!'

'Ik kan u niet meenemen! U raakt uw huis kwijt, uw gezin!'

Het lijkt wel of de mannen bij elke tegenwerping doller worden. Ze roepen en schreeuwen door elkaar: 'We hebben gekozen!' en 'We willen alleen u als aanvoerder!'

Rodrigo maakt een beweging, die zeggen wil: Het zij zo.

Jimena heeft alles met toenemende angst aangehoord. De wind grijpt haar haren, die als een wilde zee achter haar hoofd golven als ze naar voren komt.

'Jullie mogen dit niet van hem eisen! Hij heeft al genoeg gedaan!'

Haar protest is zinloos. Ze wordt overschreeuwd door de soldaten, die haar man komen opeisen.

'Maar waarom hij? Waarom juist hij?' snikt Jimena.

Rodrigo gaat naar haar toe en slaat zijn arm om haar heen.

'Voor Spanje, Spanje!' antwoordt hij voor de mannen.

Na nauwelijks een etmaal echtgenoot en minnaar te zijn geweest, komt de veldheer weer in hem boven, die het helaas altijd zal winnen van de zachtere gevoelens. Rodrigo heeft zijn vrouw al verlaten, ook al ligt zijn arm nog om haar frêle schouders.

De soldaten jubelen en juichen uitzinnig van vreugde, en Bermudez en Fañez hebben de grootste moeite hen ervan te weerhouden Rodrigo in een al te groot bewijs van aanhankelijkheid onder de voet te lopen.
Jimena ziet in dat ze verloren heeft, en dat er voor haar geen andere taak is weggelegd dan liefhebben op een afstand en wachten...
En voor de tweede keer in haar leven betreurt ze het geen man te zijn. Rodrigo beslist dat ze terug zal keren naar het klooster San Pedro, waar ze zal wachten totdat hij in staat is een ander passend onderkomen voor haar te vinden.
Hij kan haar niet meenemen. Zijn leven zal niet meer dat van een banneling zijn, die zoekend en tastend zijn weg gaat van de ene schuilplaats naar de andere, maar dat van een soldaat, die zich doelbewust van het ene gevecht in het andere begeeft. Aan het hoofd van de troepen, die hem als hun leider hebben uitverkoren. In het klooster zal ze veilig zijn en hij zal haar bezoeken zo vaak hij kan.
Grote woorden, die lichtvaardig worden uitgesproken.
Voordat ze elkaar weerzien, zullen er vele jaren verstrijken...
Voor Jimena zit er niet veel anders op dan toegeven.
Ze laat zich op een paard zetten en meevoeren naar het klooster; de hele legermacht achter haar aan. Nog nooit was ze zo goed beschermd en nooit had ze daar minder behoefte aan.
Na enkele uren is het klooster bereikt en Rodrigo helpt zijn vrouw uit het zadel. Langzaam lopen zij het voorplein op.
'Onze droom duurde maar kort...' zegt Rodrigo.
'Ja,' antwoordt Jimena bedachtzaam, 'voor een man als jij bestaan er geen verborgen plekjes...'
Hun gedachten nemen dezelfde loop.
De urenlange wandeling van de vorige dag, hand in hand. Hoe eindeloos had de toekomst toen geleken. Het wonderlijke kind, dat hen onverwacht tegemoet was gekomen met haar even wonderlijke opmerkingen. De schuur, die hun mooier en comfortabeler leek dan een kasteel, en de maaltijd, die beter had gesmaakt

dan ooit enig ander maal. En daar was dan de nacht die ze samen hadden doorgebracht en waarin ze elkaar inniger hadden bemind dan ooit in een hemelbed mogelijk was geweest.
Het was een droom, en na weinige minuten zou het herinnering zijn.
Na haar oergezonde vrolijkheid van de vorige avond, die Jimena's wangen had gekleurd en haar ogen had doen schitteren, ziet ze er nu bleek en broos uit. Haar ogen staan droevig en er is geen sprankeling meer in te bekennen.
Ontdaan van alle sier en tooi hadden zij en haar man elkaar gevonden, zoals alleen twee mensen dat kunnen die niet anders hebben dan elkaar.
'Er zijn er zeker duizenden die graag uiteen zouden gaan,' zegt ze met een timide stemmetje. 'Waarom juist jij? Waarom juist ik?'
'Liefste, probeer te lachen. Ik wil je in mijn herinnering bewaren met een opgewekt gezicht.'
'Dat kan ik niet... het zou een leugen zijn. Maar ik zal God overstelpen met mijn gebeden, ik zal Hem vragen over je te waken en ik zal Hem zeggen dat ik je niet missen kan...'
'Dan zullen we elkaar zeker terugzien,' zegt Rodrigo bemoedigend. Met een voorzichtige hand streelt hij de contouren van haar verdrietige gezicht.
Een laatste tedere blik; dan sluit het hart van de minnaar zichzelf af.
Zonder nog één keer om te kijken, bestijgt hij zijn paard en stelt zich op aan het hoofd van de troep.
Zo ziet Jimena hem uit haar ogen verdwijnen. En als een klein, weerloos meisje laat ze zich door de moeder-overste naar binnen voeren.

Bezoek aan de koning

Waarin Alfonso kwade dromen heeft,
Rodrigo hem in Burgos bezoekt,
en boos de aftocht blaast...

Het kasteel in Burgos is in diepe rust. Urraca slaapt in haar hemelbed diep en droomloos, zoals alleen zij kunnen slapen die een uiterst rein of uiterst onrein geweten hebben. Allen die zich tussen die beide uitersten bevinden, kunnen zich in de slaap niet ontspannen en draaien zich van de ene zijde op de andere, zuchtend, kreunend en transpirerend, zoals Alfonso.
Beheerst door zijn angst voor Sancho en onder de invloed van zijn zuster heeft hij zijn stilzwijgende toestemming verleend aan het plan zijn broer uit de weg te ruimen; geen ogenblik vermoedend dat die jonge heethoofd Rodrigo hem in het openbaar ter verantwoording zou roepen. Had hij anders kunnen handelen?
Alfonso stelt vast dat het onmogelijk zou zijn geweest in het openbaar zijn schuld te belijden, en dat hij door de loop der gebeurtenissen was gedwongen meineed te plegen.
Hoe had de bijbel in zijn vingers gebrand!
En sindsdien was dat branderige gevoel in zijn rechterhand gebleven. Alfonso heeft in eenzaamheid dikwijls naar die hand gekeken; maar er was niets bijzonders aan te zien. Hij heeft de hand gewreven en met koud water gebet, maar het gevoel bleef!
Sinds de dag van de meineed kan Alfonso niet meer slapen en als hij wegzakt in de afgrond van een nachtmerrieachtig soort bewusteloosheid, dan is het alleen maar om weer met een schreeuw van angst te ontwaken. Zo ook nu.

Met een kreet werpt hij de dekens van zich af en voordat hij het zich bewust is, staat hij in de slaapkamer van zijn zuster, in diepe nood haar naam roepend: 'Urraca!'
Met haar ogen wijd open van schrik staart Urraca hem aan.
'Urraca, ik kan niet meer slapen. Elke keer als ik mijn ogen sluit, droom ik dezelfde droom, steeds opnieuw... Ik vecht met een vijand wiens gezicht ik nooit zie, en steek hem neer met mijn zwaard. Hij valt... en als ik op de grond kijk is het niet mijn vijand die aan mijn voeten ligt, maar... mijn eigen rechterarm!'
Met een gebaar van afgrijzen brengt Alfonso de ongelukkige arm naar voren als was het een onderdeel dat niet meer bij hem hoort.
'Het was maar een droom,' troost zijn zuster. 'Het heeft niets te betekenen.'
Wat zal zij zich verdiepen in Alfonso's zielenpijn? Zij beperkt zich tot het maken van plannen en het aanzetten van haar broer om die te verwezenlijken. Alfonso moet dan maar zien hoe hij zich redt...
Snikkend en wanhopig verlaat hij haar weer om zich terug te trekken op zijn particuliere folterbank: zijn bed.

In de eerste moeilijke jaren na de verbanning hebben Rodrigo en zijn volgelingen zich een doorgang naar het zuiden gevochten, door Saragossa en de Moorse koninkrijken Morella, Lerida en Rueda.
Duizenden nieuwe mannen verkozen het onder zijn banier te strijden en onder de onafhankelijke emirs aan de zuidoostkust van Spanje won hij vele bondgenoten.
Rodrigo was een meester in het improviseren tegen legers die vochten volgens een bepaalde strategie, en daardoor was hij in staat de vijand snel aan te pakken waar hij het zwakst was, voordat die gelegenheid had zijn mensen te hergroeperen.
In het belegeren van steden was hij een organisator, die de stad systematisch van elke mogelijkheid tot bevoorrading afsloot. Maar zijn legendarische roem heeft hij niet alleen te danken aan zijn

capaciteiten als veldheer en tacticus, maar bovendien aan zijn ontoombare moed, waardoor hij zich steevast in het heetst van de strijd begaf, bij welke gelegenheden hij vele malen gewond raakte en meer dan één keer op het nippertje aan de dood ontsnapte.

De wapenfeiten van El Cid zijn inmiddels niet aan de aandacht van Alfonso ontsnapt.
Dan, op een zwarte dag, landt Ben Yusof met zijn woeste horde op de kust van Spanje...
Alfonso zendt een bevel naar Rodrigo, zich zo spoedig mogelijk bij hem te vervoegen. Rodrigo is daarover zeer verheugd. Misschien wil Alfonso zijn ballingschap beëindigen nu hij door zo'n groot gevaar bedreigd wordt en zich samen met hem op Valencia concentreren...
Met enkele loyale emirs begeeft hij zich naar het paleis en wordt tot de koning toegelaten. Rodrigo werpt zich voor hem op de grond en wacht af tot Alfonso het woord tot hem zal richten.
Alfonso laat hem evenwel voor wat hij is – een onderdaan – en gaat voort met zijn valk te spelen en zoete geluidjes te maken tegen de vogel, alsof daar niet een van de roemruchtste krijgslieden van zijn tijd voor hem in het stof ligt!
Als Alfonso vindt dat de vernedering lang genoeg heeft geduurd en hij zich aan zijn macht heeft volgezogen, geeft hij de valk aan een van zijn dienaren en Rodrigo een teken op te staan.
'Don Rodrigo, het kwaad dat u ons heeft aangedaan, is vergeven noch vergeten. Maar in tijden van gevaar is het de plicht van de koning de veiligheid van zijn land te stellen boven gevoelens van persoonlijke aard. Dat is de reden, waarom wij u hebben laten komen.'
'Sire, al die jaren heb ik geleefd in de hoop dat u me eens zou roepen. Vooral sinds de landing van Ben Yusof.'
'Ben Yusof heeft ons uitgedaagd tot een strijd in de vlakte van Sagrajas.'
Rodrigo maakt een afwerend gebaar. 'Sire, u moet niet vechten in

Sagrajas. Eerst moet...
Maar Alfonso valt hem in de rede. 'We hebben de uitdaging al geaccepteerd!'
Rodrigo staat verstomd over zoveel kortzichtigheid. In een oogwenk overziet hij wat de gevolgen hiervan kunnen zijn.
'Mijn vorst, u moet eerst Valencia innemen. Zolang de Moren Valencia in handen hebben, kan Ben Yusof de stad als basis gebruiken om het hele land te overrompelen. Uwe Majesteit mag dat niet laten gebeuren. Kijk, ik heb enkele vrienden meegebracht om u in de strijd ter zijde te staan.'
Op zijn wenk treden de emirs binnen, met Moutamin in de voorste gelederen. Ze werpen zich niet voor Alfonso in het stof, maar beperken zich tot een hoofse buiging.
Verstoord kijkt Alfonso op hen neer.
'Wat? Verwaardigen zij zich niet voor mij te knielen?'
'Sire,' zegt Rodrigo verklarend, 'zij zijn koningen. Ze zijn gekomen als bondgenoten.'
Urraca, die de donker gekleurde en rijk geklede vreemdelingen met een blik vol weerzin heeft opgenomen, antwoordt op laatdunkende toon: 'Wij hebben zulke bondgenoten niet nodig.'
'Wij zijn een christelijk koninkrijk en wij onderhandelen uitsluitend met christenen,' valt Alfonso haar bij.
Na die woorden draaien de emirs een halve slag om en verlaten met opgeheven hoofd de zaal.
'Maar ze zijn bereid aan uw zijde te strijden voor Valencia! Ze vrezen Ben Yusof evenzeer als u. Zij zijn uw vrienden!' pleit Rodrigo.
Alfonso schudt verstoord het hoofd. Hij laat zich geen Moorse bondgenoten aanpraten. Dat Rodrigo hen heeft durven meebrengen is al erg genoeg.
Met een gebaar van wanhoop keert nu ook Rodrigo zich om. Halverwege wendt hij zich nog één keer tot Alfonso en roept boos: 'Sire! U zet héél Spanje op het spel!'
Dat de banneling Rodrigo aan Moren de voorkeur geeft boven

hem, is een ernstige klap voor Alfonso's prestige. Hij voelt zich diep gekrenkt, maar probeert daar niets van te laten merken als hij met een geforceerde lach op zijn gezicht Rodrigo naroept: 'Don Rodrigo! U zult u bij ons in Sagrajas voegen en wij zullen uw verbanning opheffen en u uw goederen teruggeven. Maar als u weigert zullen wij u en de uwen als vijanden beschouwen!'
Het is vergeefs, en een bijna lachwekkende oorlogsverklaring.
Niet alleen zal Alfonso, die leider noch veldheer is, zijn handen meer dan vol hebben aan de fanatieke volgelingen van Ben Yusof; nog een vijand, Rodrigo en zijn geduchte bondgenoten, zal zijn krachten verre te boven gaan.
En het zal niet lang meer duren of hij zal merken dat zijn kwade geest Urraca hem in het verderf zal storten.

Man, vrouw en kinderen

Waarin we enkele jaren verder zijn,
Rodrigo vrouw en kinderen bezoekt,
en opnieuw afscheid neemt…

Van zijn bezoek aan Burgos maakt Rodrigo gebruik Jimena en de kinderen te bezoeken. Het is hem bekend dat hij inmiddels vader van een tweeling is geworden, maar tot dusverre had hij zijn militaire carrière voorrang moeten verlenen boven de noden van zijn hart.

Het spreekt vanzelf dat hij zich in lange, eenzame nachten in zijn legertent Jimena voor de geest probeerde te halen en dat hij zich probeerde voor te stellen hoe die kleine meisjes Sol en Elvira eruit zouden zien.

Dat hij daar niet in slaagde was niet zozeer te wijten aan zijn gebrekkige voorstellingsvermogen, dan wel aan het voortdurende gevaar waarin hij zich bevond. Telkens als Jimena aan hem verscheen in gezelschap van twee kleine meisjes die niet alleen als twee druppels water op elkaar maar ook nog op hun moeder leken, schoot hem een of ander urgent probleem te binnen, zodat hij zuchtend de tedere zaken van het leven van zich af schoof.

De jaren hebben niet nagelaten hun stempel op zijn uiterlijk te drukken. Had hij als jongeling een slanke gestalte, nu is hij uitgegroeid tot een forse man met brede schouders en een brede borstkas. Ook zijn gezicht is veranderd. Zijn ogen zijn wat dieper in de oogkassen teruggedrongen; zijn wenkbrauwen zijn borsteliger. Er zijn scherpe lijnen in zijn voorhoofd gekomen en over zijn linkerwang loopt een groot en diep litteken. De licht grijzende baard

geeft hem een martiaal voorkomen.
Bij het klooster in Cardeña aangekomen, overhandigt hij de teugels van Babieca aan Fañez, die er met de jaren ook niet jonger op is geworden en al menige grijze haar bezit.
De moeder-overste ontvangt hem opgetogen.
'Don Rodrigo! Ik hoef u niet te vragen waarvoor u gekomen bent. Gaat u mee naar binnen; de tweeling speelt in de tuin.'
Met een beklemd gemoed betreedt Rodrigo de kloosterpoort.
Het vooruitzicht zijn geliefde vrouw weer te zien, brengt een brok in zijn keel; de gedachte aan de twee kleine meisjes, die hij niet kent en die hem niet kennen, geeft een zekere aarzeling aan zijn bewegingen.
De moeder-overste heeft de tact om hem niet plompverloren voor zijn kinderen neer te zetten, maar brengt hem naar de balustrade die om het binnenplein heenloopt en van waaruit hij een eerste blik op zijn kinderen kan werpen. Sol en Elvira spelen met uitbundig plezier blindemannetje. Het zijn twee stevig gebouwde meisjes – met een lichte teleurstelling stelt Rodrigo vast dat ze in geen enkel opzicht op hun moeder lijken, zoals hij zich altijd had voorgesteld. Ze hebben grote, glanzende, bijna zwarte ogen, een klein mopsneusje en stevige, dikke wangetjes. Ze hebben de onderlipjes ingetrokken, wat aan de uitdrukking op hun gezichtjes iets omzichtigs geeft.
Het behoeft geen betoog dat de aanwezigheid van die kleine schepseltjes de nonnen in verrukking bracht, en ze waren het er allemaal over eens dat de kinderen van El Cid in geen enkel opzicht met andere kinderen te vergelijken waren.
Ontroerd kijkt Rodrigo op zijn kinderen neer. Dan vermant hij zich en gaat naar beneden. Hij kan de ontmoeting niet langer uitstellen. Elke minuut is kostbaar.
Op zijn tenen lopend om niet te storen, betreedt Rodrigo het binnenplein, elke beweging van de meisjes nauwlettend volgend.
In de veilige beschutting van het klooster, omringd door de lieve zorgen van de nonnen, is er aan Jimena niets veranderd.

De rijpheid van haar jaren heeft haar schoonheid verdiept; het moederschap heeft haar warme blik een extra dimensie verleend, maar de gaafheid van haar huid, de volheid van haar lippen, zijn onaangetast.
Ook Jimena heeft geleden onder de afwezigheid van haar man, maar het is een leed waarmee ze vrede kan hebben, omdat ze met zichzelf in vrede is. Daarbij schenken de twee kinderen een zekere compensatie voor dat gemis. Zij vragen voortdurende zorg en zoveel aandacht dat Jimena niet veel tijd heeft aan zichzelf te denken.
Ze is bezig kinderkleertjes op te vouwen, als haar scherpe intuïtie waarneemt dat er in de vertrouwde dingen om haar heen verandering is opgetreden. En als ze haar ogen opslaat, ziet ze Rodrigo...
Een kleine schok gaat door haar heen, zó onverwacht is zijn verschijning. Hun blikken blijven op elkaar gericht, alsof ze in één minuut al die jaren dat ze elkaar niet zagen, willen inhalen. Ze vergeten alles om zich heen, klooster, kinderen, kleertjes.
Langzaam, en zonder haar met zijn blik los te laten, gaat Rodrigo naar Jimena toe.
De kleine meisjes zijn door een non tot de orde geroepen, en ze klemmen zich bedremmeld aan haar rokken vast als ze de vreemdeling ontdekken.
'Dit is jullie vader,' fluistert ze hen toe en hun donkere ogen worden groot en glanzend van diepe bewondering. Al hebben ze hun vader nog nooit gezien, ze weten van zijn bestaan af en hebben al vele prachtige verhalen over zijn heldendaden gehoord.
Maar vader en moeder hebben geen oog voor hen. Zij hebben elkaar omarmd en dat is een wonderlijk gezicht voor die twee, die dan ook aandachtig toekijken.
Maar nu willen zij toch ook hun deel van de liefde, en op snelle voetjes rennen ze naar hun ouders, die zich maar met moeite van elkaar los kunnen maken.
Jimena heeft even tijd nodig om zich van de emotie te herstellen. Dan zegt ze met trots klinkende stem: 'Dit is jullie vader.'

De kleintjes gaan naar Rodrigo toe en geven hem een hand. Hij knielt bij hen neer en kijkt van de een naar de ander.
'Ben jij Elvira?'
Het kleintje schudt gedecideerd haar hoofd.
'Dan moet je Sol zijn en jij Elvira.'
Twee zwarte kopjes knikken instemmend. Sol streelt haar vaders wang. Ze vindt het wel een beetje griezelig, want ze heeft nog nooit een man gezien, maar toch ook wel weer fijn. Elvira gaat met een nieuwsgierig vingertje langs het litteken op Rodrigo's wang.
'Jullie lijken sprekend op elkaar,' glimlacht Rodrigo, en dan trekt hij met één gebaar de kleintjes in zijn armen en tilt hen hoog op. Hij drukt de warme, mollige lijfjes stevig tegen zich aan en een ongekend gevoel van welbehagen doorstroomt hem.
Het wordt een verrukkelijke middag. De meisjes hebben geen moeite hun vader te accepteren. Rodrigo heeft zich over zijn teleurstelling, dat zijn dochters geen evenbeelden van Jimena waren, heen gezet. Hij speelt met hen en laat met zich sollen en voor enkele uren is Spanje vergeten.
In tegenstelling tot de andere avonden, als Jimena met de kinderen bij de nonnen eet, wordt er deze avond in hun eigen kamer gedekt.
Sol en Elvira kunnen geen oog van hun vader afhouden, en ze hebben nauwelijks aandacht voor het voedsel op hun bordje. Meer dan eens stellen ze hun moeder de vraag: 'Blijft pappie bij ons?'
De teleurstelling op hun gezichtjes na Jimena's ontkenning, doet Rodrigo pijn. Wat zou hij, na jaren van strijd, niet graag bij vrouw en kinderen blijven.
Als 's avonds de kleintjes in bed zijn gelegd en in diepe slaap verzonken, geeft hij uitdrukking aan die gevoelens.
'Ik ben moe. Ik heb genoeg van de verbanning. Nu zou ik jullie met ere mee naar huis kunnen nemen. Misschien doe ik er verkeerd aan de koning te trotseren. Hij eiste dat ik me bij hem zou voegen in Sagrajas en ik heb geweigerd. Maar misschien is dat wel onjuist.'

Jimena begrijpt dat de omstandigheden Rodrigo zo doen spreken. Zolang hij nog onder mannen was en dagelijks met krijgsproblemen werd geconfronteerd, waren vrouw en kinderen ver weg en deed hij het werk dat er gedaan moest worden. Zo was het ook goed.
'Zou je je dat ook afvragen, Rodrigo, als je ons niet had?'
Rodrigo gaat niet op haar vraag in. Hij is terug in het verleden en herinnert zich een schuur van een onbekende boer en de kinderlijke opgetogenheid van Jimena over die toch primitieve omgeving. In zulke 'verborgen plekjes' had ze met hem willen leven. Hij glimlacht.
'Ik heb zoveel schuilplaatsen gevonden op mijn tochten waar we ons hadden kunnen verbergen, zonder dat iemand ervan had geweten.'
'Heb je ook een schuilplaats gevonden waar je je voor jezelf kunt verbergen?' Jimena vraagt dat, omdat ze wel weet dat Rodrigo er niet de man naar is zijn dagen door te brengen met het zoeken naar een schuilplaats voor de nacht. Hij is teveel man van de daad en de noden van Spanje zouden zich overal aan hem geopenbaard hebben. Zou hij rustig bij haar gebleven zijn, terwijl anderen de kastanjes uit het vuur haalden? Absurde gedachte!
Rodrigo weet wel dat ze gelijk heeft, maar hij weet ook dat met de op handen zijnde invasie van de Almoraviden van alles kan gebeuren, en hij rilt bij de gedachte wat dat zou kunnen zijn.
'Ik kan jullie niet verlaten. Ik kan jullie niet onbeschermd achterlaten.' Jimena geeft Rodrigo het laatste duwtje.
'Als je doet wat het beste is voor Spanje, dan doe je het beste voor ons. Betere bescherming is ondenkbaar.'
Rodrigo loopt naar de bedjes waar zijn dochtertjes slapen. Verwarde zwarte haren op een wit kussen. Dichte, zwarte wimpers: het fluwelen gordijn van Jimena!
Ze heeft het bij het rechte eind. Orde en rust in Spanje zijn hun beste bescherming! En voor dag en dauw is Rodrigo van echtgenoot en vader, opnieuw krijgsman geworden.

Alfonso's nederlaag

Waarin Valencia wordt omsingeld,
Alfonso indruk wil maken,
en Jimena met de kinderen in een kerker wordt gegooid...

Rodrigo heeft Alfonso's uitdaging naast zich neergelegd en is volgens zijn eigen plan naar Valencia getrokken, waar hij zijn kamp heeft opgeslagen naast dat van Moutamin.
Moutamins tent is met grote luxe en oosterse overdaad gestoffeerd. Tapijten in warme kleuren en grillige motieven bedekken de grond; rustbanken, stoelen en kussens noden tot rust en overpeinzing.
Moutamin, als altijd in zijde gekleed, heeft ook Rodrigo zo'n gewaad gegeven, dat los over zijn maliënkolder heen valt.
De beide mannen doen zich te goed aan geroosterd schapenvlees, terwijl Moutamin Rodrigo met welgevallen bekijkt.
'Onze Moorse zijde past goed bij uw christelijke wapenrusting.'
Rodrigo lacht. 'U zult nog een Moslim van mij maken.'
Ze begeven zich naar de uitgang van de tent en kijken uit op de kampplaats, waar Moorse en christelijke strijders broederlijk naast en door elkaar zitten. Schalen met warme spijzen worden rondgediend en de mannen praten en lachen, of ze nooit anders dan vrienden geweest zijn. Rook kringelt op van de houtvuren, lansen staan als hooischelven bijeengebonden; ginds houden ruiters een oefening.
Rodrigo slaakt een diepe zucht. 'Hoe kan men zeggen dat dit verkeerd is.'
'Maar men zegt het toch,' zegt Moutamin. 'Aan beide zijden.'

'Terwijl er zoveel is dat we elkaar en Spanje geven kunnen,' mijmert Rodrigo.
'Als we niet eerst vernietigd worden,' is Moutamins cynische wederwoord.
'Laat Ben Yusof het maar proberen als we Valencia in handen hebben!'
De trompet wordt gestoken; de rust is voorbij. De soldaten staan op, zoeken hun wapens bij elkaar en dan gaat ieder zijns weegs om zich bij zijn onderdeel te voegen.
De hoge gevechtstorens, de blijden en rammen worden naar de muren van de stad gereden en enkele uren lang is er niets anders te horen dan het dreunen van paardenhoeven, het voortschuifelen van mensenvoeten, een enkel, haastig geschreeuwd bevel en het gekletter van wapentuig. Hier en daar klinkt een lach op van soldaten, die dit beleg beschouwen als een kolfje naar hun hand.
Dan komt Fañez melden dat de stad volgens plan omsingeld is en dat zelfs een muis haar niet ongezien zou kunnen verlaten.
Moutamin slaat de ogen ten hemel. 'Moge Allah de belegering kort maken.'
Rodrigo denkt aan Alfonso, die waarschijnlijk op dit moment gewikkeld is in de strijd tegen Ben Yusof. 'Moge God hem bijstaan,' mompelt hij. Nu alle voorbereidingen achter de rug zijn, heeft hij weer even tijd om aan vrouw en kinderen te denken. Fañez wordt naar het klooster gezonden om te informeren naar hun gezondheid.
God heeft Alfonso niet bijgestaan.
Niet alleen dat hij zich geplaatst zag tegenover een numerieke overmacht, maar bovendien werd hij geconfronteerd met een tactiek die veel soldaten in paniek deed vluchten en grote bressen in zijn gelederen sloeg. De in het zwart geklede, Moorse krijgers hadden ook hun gezicht met een zwarte doek bedekt, zodat alleen hun ogen vrij bleven. Die sinistere aanblik, gevoegd bij het onheilspellende geluid van de tamtam en het door merg en been dringende gillen waarmee de krijgers hun aanval begeleidden, vervulde Al-

fonso's soldaten met ontzetting en deed velen het hazenpad kiezen. Ook zonder die desertie zou Alfonso het niet gered hebben, want het ontbrak zijn mannen aan het heilige vuur waarmee de soldaten van Rodrigo bezield waren en dat hun ook tegen een overmacht overwinningen deed behalen.
Maar zoals de zaken er nu voor stonden, was de strijd al beslist voordat hij goed en wel op gang gekomen was.
Zijn leger werd binnen enkele uren in de pan gehakt, en hij mocht van geluk spreken dat hij het er zelf levend vanaf bracht.
Na de snelle, meedogenloze strijd verzamelde Ben Yusof zijn manschappen om zich voor te bereiden op de slag tegen El Cid.
Gewond en met zijn kleren aan flarden vinden wij Alfonso, in gezelschap van Don Garcia Ordoñez, terug in het klooster San Pedro te Cardeña, waar hij zijn toevlucht heeft genomen.
Omringd door de nonnen en Jimena zegt hij, op haast huilerige toon: 'We zouden Ben Yusof verslagen hebben als we maar een paar man meer hadden gehad. Met nog een handvol ridders was de victorie aan ons geweest.'
Alfonso's wrok is er na die nederlaag bepaald niet minder op geworden. In plaats van een langzame hongerdood had de verbanning Rodrigo roem, eer en aanzien bezorgd. Maar ook met het aanbod hem in al zijn heerlijkheden te herstellen, kreeg hij Rodrigo niet aan zijn zijde. Alfonso pijnigt zijn hersens naar een middel om Rodrigo af te straffen en dan valt zijn blik op Jimena. Kan hij zich een betere gijzelaar wensen?
'Doña Jimena, denkt u dat we uw echtgenoot ongestraft zullen laten!'
'Waarom zou u hem straffen?' ketst Jimena bits terug. 'Hij is de enige die Spanje nog redden kan.'
Er verschijnt een kwaadaardig lachje om Alfonso's mond.
'Wat zou er gebeuren als we Doña Jimena met haar kinderen in een diepe kerker zouden gooien?'
'Sire, dit is een heiligdom,' brengt de moeder-overste hem ernstig onder de aandacht.

'Er bestaan geen heiligdommen voor de vijanden van Christus,' antwoordt Alfonso grimmig.
Hij geeft Don Garcia een teken om zijn zwaard in het vuur te zetten. Alfonso heeft een armblessure opgelopen. En er bestond voor soldaten maar één methode een wond te ontsmetten, namelijk door hem met gloeiend metaal dicht te schroeien.
'Als er iets met Rodrigo gebeurt, dan is er niemand over die in staat is het tegen het invasieleger van Ben Yusof op te nemen,' zegt Jimena, met een beroep op het gezonde verstand van Alfonso. Maar dat is een vergeefs beroep, omdat Alfonso's verstand niet meer gezond is. Het is vergiftigd door zijn zuster, die hem nooit met rust laat en hem afwisselend over het paard tilt en de wet voorschrijft als een kleine jongen. Eigenlijk weet Alfonso niet eens meer wie hij nu echt is.
In zijn huidige geestestoestand heeft hij een volkomen overspannen dunk van eigen macht en dapperheid. Daardoor kon hij ook een uitdaging als die van Ben Yusof aanvaarden, om slag te leveren bij Sagrajas, terwijl elke veldheer met een greintje militair inzicht dat nooit gedaan zou hebben.
Hij moet zichzelf voortdurend bewijzen dat hij nog wel wat anders kan dan meineed plegen. Of moeten onbesuisde acties als deze, waarvan de slechte afloop van tevoren te voorspellen is, onbewust juist dienen om hem voor zijn euveldaad te straffen?
Hij geeft Don Garcia een teken hem het gloeiende zwaard aan te geven en gaat over tot een afschuwelijke daad: hij drukt het tegen zijn gewonde arm, en een walgelijke lucht van verschroeid vlees verspreidt zich...
Zijn gezicht laat duidelijk zien welke helse pijnen hij doorstaat, maar hij uit geen kreet. De nonnen wenden hun hoofden af, maar Jimena blijft volkomen onbewogen, ja zelfs minachtend toekijken.
Zweet parelt hem op het voorhoofd en een ogenblik verliest hij het bewustzijn. 'Jullie zien het,' hijgt hij, nadat hij is bijgekomen. 'Het was niet door gebrek aan moed dat we verloren hebben. Het was

Rodrigo's schuld. We zouden gewonnen hebben als hij ons had geholpen. Ik ben niet bang, ik heb geen kik gegeven. Het was geen gebrek aan moed van mij.'
'Er is méér nodig dan moed om een koning te zijn,' zegt Jimena laatdunkend. Ze koestert niet de minste bewondering voor zijn heldhaftige vertoning.
Haar woorden bezegelen haar lot.
Alfonso laat haar met de kinderen gevangen nemen en in een kerker gooien. De moeder-overste protesteert en probeert hem tot andere gedachten te bewegen, maar het helpt niet. Alfonso lijdt zelf helse pijn en hij heeft behoefte aan een zondebok. Waarom zal hij alleen lijden? Bovendien ziet hij in de gevangenneming van Jimena en haar kinderen zijn enige kans Rodrigo in handen te krijgen.
Als Alfonso op het punt staat te vertrekken, arriveert Fañez, die op zijn beurt probeert de gevangenen vrij te krijgen.
Alfonso lacht hem schamper uit. 'Zeg maar tegen je meester dat hij ze zelf kan komen halen!'
Verbijsterd keert Fañez terug naar Valencia, waar hij onmiddellijk zijn opwachting bij Rodrigo maakt. Diens ogen bliksemen woedend, als hij Fañez' schouder in een ijzeren greep neemt.
'Vertel precies wat hij zei!'
'De koning zei dat hij Doña Jimena en de kinderen niet zou vrijlaten.'
Een diepe verontwaardiging grijpt Rodrigo aan.
Wat een lafheid, een weerloze vrouw en twee kleine kinderen gevangen te nemen! Hij loopt met grote passen op en neer; zijn vuisten in woede gebald.
'Verwacht hij soms dat ik hen in een kerker zal laten omkomen?'
'Nee heer,' zegt Fañez timide, 'hij verwacht dat u ze zelf zal komen halen in Burgos.'
Jimena en de kinderen uit Burgos halen, betekent een oorlogsverklaring aan Alfonso. En de man die zich altijd placht op te werpen als de kampioen tegen de strijd tussen geloofsgenoten aarzelt geen

ogenblik nu het leven van vrouw en kinderen op het spel staat.
'Uit Burgos halen!' briest hij woest, 'welaan, op naar Burgos! Zouden we onze koning teleurstellen? Waar wachten we nog op?'
Naar Burgos! De woorden verspreiden zich door het kamp.
De soldaten, de maanden van belegering en verveling moe, verlangen wel naar wat afwisseling!
Maar Moutamin ziet het gevaar. Valencia prijsgeven op dit ogenblik! Hij haast zich naar Rodrigo, die al te paard zit.
'Heer Cid, de stad staat op het punt te vallen. Meer en meer mensen lopen over naar onze kant. Na al die maanden kunnen we toch niet weg!'
Rodrigo duwt Moutamins hand ter zijde. 'Spreek me nu niet van Valencia!'
Hij drijft zijn paard langs de kring van ruiters en doet een hartstochtelijk beroep op hun begrip.
'Ben ik niet een man als u? Mag ik ook eens aan vrouw en kinderen denken?'
De mannen mompelen goedkeurend.
'Welaan dan... wat moet ik doen?' vraagt Rodrigo, als om instemming vragend.
'Naar Burgos! Naar Burgos!' schreeuwt men van alle kanten.
Moutamin begrijpt dat het nutteloos is hem verder te overreden.
Men kan er alleen maar het beste van hopen.
Een klein detachement wordt achtergelaten om de sleutelposities bezet te houden en dan gaat het, in gestrekte draf, naar Burgos!

Don Garcia's keuze

Waarin Don Garcia twijfelt,
een geheimzinnige boodschap ontvangt,
en Jimena helpt vluchten

Ordoñez heeft moeten aanzien dat Jimena en de kinderen gevangen werden genomen. Hij kon daar niets aan veranderen, omdat hij in dienst van Alfonso is, maar het gebeurde brengt een gewetensstrijd bij hem teweeg.

Hij weet zo langzamerhand wel dat Alfonso een grillige vorst is die helemaal door zijn zuster wordt beheerst. Ook hij, Don Garcia, heeft de verloren strijd bij Sagrajas als een persoonlijke vernedering ondergaan, maar in plaats van de schuld daarvan zonder meer op Rodrigo te gooien, is bij hem de vraag opgekomen of de gevoerde tactiek wel de juiste was geweest. Hij was niet ongevoelig voor Rodrigo's argument om eerst Valencia in te nemen, maar Alfonso leek wel bezeten van het idee zo spoedig mogelijk tot een treffen met Ben Yusof te komen.

Er is twijfel bij hem gerezen ten aanzien van Alfonso's bekwaamheid, en zijn gedachten gaan de laatste tijd meer en meer uit naar Rodrigo. De tijd, die alle wonden heelt, heeft de vurige vijandschap die hij zijn rivaal toedroeg wat afgesleten, waardoor hij in staat is tot een objectief oordeel. Rodrigo bleef, ondanks zijn verbanning, een trouw onderdaan en toonde dat door Alfonso regelmatig een deel van de oorlogsbuit te sturen. Alfonso had dat geaccepteerd en Urraca had het inhalig in de wacht gesleept, zonder dat een van beiden ooit een woord van waardering had laten horen. Bij de behandeling van zijn wond in het klooster had Alfonso getoond niet kleinzerig te zijn, maar wat zei zoiets over iemands capaciteiten als veldheer? Niets immers! Jimena zag het goed, toen ze zei dat er meer dan moed nodig was om een goede koning te zijn. Alfonso miste niet zozeer de moed als wel het juiste inzicht. Het werd tijd dat hij eens op eigen kompas ging varen, en niet zijn strategie en manier van besturen liet afhangen van de mening van zijn zuster, die met de jaren vinniger werd.

Ordoñez is aldus in gedachten verdiept als een licht geritsel hem opmerkzaam maakt op een briefje dat onder de deur door wordt geschoven. Hij doet de deur open, maar er is geen mens te zien. Nieuwsgierig raapt hij het briefje op en leest. Het bevat een verzoek van Jimena of hij haar zo snel mogelijk wil bezoeken!

Verwonderd trekt Don Garcia zijn wenkbrauwen op.

Wie kan dat briefje onder zijn deur geschoven hebben? Jimena wordt streng bewaakt en er is niemand die toegang tot haar heeft, behalve de bewakers. Maar hij kan het proberen, al vraagt hij zich af hoever hij komen zal voordat hem een halt wordt toegeroepen. Omzichtig verlaat hij zijn kamer en bereikt door een wirwar van gangen en trappen de kelder, waarin zich de verblijven van de gevangenen bevinden. Het ruikt er muf en hij voelt hoe een klamme, koude damp hem in het gezicht slaat. Hoe moeten een tere vrouw en twee kinderen een dergelijke omgeving verdragen?

Tot zijn verbazing staat er niemand op wacht en nadat hij zich aarzelend en niet zonder tegenzin in een smal en duister poortje begeeft, ziet hij een vage gestalte die hem wenkt. Instinctief houdt hij zijn pas in, maar de gestalte wenkt nog dringender. Hij overlegt snel. Er is geen reden een valstrik te vrezen, en de situatie wijst erop dat Jimena de bewakers heeft omgekocht.

Hij overwint zijn aarzeling en volgt de geheimzinnige figuur door het nauwe poortje dat uitkomt in een brede, gewelfde ruimte, waarin een onzeker brandende flambouw een schaars licht geeft. Nu kan hij ook zijn gids wat beter zien. Het is een bewaker, die hem naar links wijst. Hij volgt de aangegeven richting en stuit dan op een deur, waarvan het bovenste gedeelte van tralies is voorzien. Een snelle blik naar binnen overtuigt hem ervan dat dat de kerker is die Jimena en de kinderen gevangen houdt. De twee kleine meisjes liggen dicht tegen elkaar op de grond. Jimena komt met verwarde haren en een verheugde uitdrukking op haar gezicht naar het tralievenster.

Met bewonderende verbazing kijkt hij haar aan. 'Men heeft u alles ontnomen. Hoe heeft u de bewaker zover gekregen dat hij bereid was mij uw boodschap te brengen?'

'Met twee woorden,' fluistert Jimena op samenzweerderige toon: 'El Cid.'

De bewaking mag dan uit vele bewapende mannen bestaan, Jimena heeft al lang uitgevonden dat het grootste deel van hen op de hand van haar man is, en daarvan heeft ze geprofiteerd.

Ordoñez is opnieuw in de ban van Jimena's charmes.

'Zelfs deze kerker is niet in staat uw schoonheid te ontluisteren,' zegt hij waarderend.

Jimena negeert de opmerking, die haar overigens niet onaangenaam is.

'Ik heb verontrustende geruchten gehoord,' komt ze ter zake.

'Het zijn geen geruchten,' antwoordt Ordoñez, wetend waarop zij doelt. 'Uw man heeft de koning een ultimatum gesteld. Hij eist uw onmiddellijke invrijheidstelling, anders zal er strijd ontbranden.'

'Wat? Oorlog om mij? Wil Rodrigo Valencia in de steek laten? Maar dan is heel Spanje onbeschermd!'

Ordoñez glimlacht. Hij kan Rodrigo best begrijpen.

'Voor u, Jimena. Waarom niet?'

'U moet ons helpen vluchten,' fluistert Jimena haastig. 'We moeten dat voorkomen. Ga met ons mee. Voeg u bij Rodrigo.'

Jimena verlaat het tralievenster en gaat naar haar kinderen, die overeind krabbelen en zich aan haar rokken vastklampen.

'Als ik wist dat het hem ervan kon weerhouden hierheen te komen, dan zou ik ons alle drie van het leven beroven,' zegt Jimena rustig, terwijl haar handen het gladde haar van de meisjes strelen.

Ordoñez voelt dat het geen loze woorden zijn. Jimena is een vrouw met een sterk karakter en uit liefde voor haar man is zij tot alles in staat. Hoe goed kent hij dat gevoel.
Haar verzoek hen te bevrijden en mee te gaan naar Rodrigo sluit goed aan bij zijn gedachtengang van de laatste dagen. Het besef dat hij hen geen dag langer in deze omgeving kan laten, doet hem zijn laatste aarzeling overwinnen.
Als er dan al gevochten moet worden, dan liever aan de zijde van een man die tenminste weet wat hij doet.
En nog voor het eerste ochtendgloren gaan ze op weg.
Jimena en de kinderen, Ordoñez en een groot aantal soldaten, die, teleurgesteld door de nederlaag bij Sagrajas, de voorkeur geven aan de strijd aan de kant van de overwinnaar!

De val van Valencia

Waarin Rodrigo als bevrijder wordt binnengehaald en hij de kroon voor Alfonso aanvaardt…

Rodrigo is met zijn manschappen nog niet ver van Valencia verwijderd, als er op enige afstand een groep ruiters nadert. Hij knijpt zijn ogen samen om beter te kunnen zien. Vriend, of vijand?
Dan ontdekt hij in de voorste gelederen iemand die niet de gewone wapenrusting draagt. Een vrouw? Jimena!
'Hier!' schreeuwt Rodrigo uit alle macht. Hij maant zijn paard tot grotere spoed. Kort daarop staan de legers tegenover elkaar, maar wat een vriendelijke ontmoeting! Uit beide groepen maakt zich een figuur los, de twee omarmen elkaar innig.
Don Garcia bekijkt die omhelzing met gemengde gevoelens, al constateert hij met een zekere trots dat door zijn medewerking het gezin is herenigd.
Als Jimena en Rodrigo elkaar hebben losgelaten, gaat hij naar voren.
'Rodrigo,' Don Garcia steekt zijn hand uit, 'laat me aan uw zijde vechten.'
Rodrigo begrijpt dat het aan zijn vroegere vijand te danken is dat zijn vrouw en kinderen behouden bij hem zijn aangekomen, en zonder aarzeling grijpt hij de toegestoken hand.
'We hebben mannen als u nodig,' zegt hij warm.
Rodrigo's afdeling maakt rechtsomkeert en dan wordt de terugweg naar Valencia aanvaard.

Nadat de stellingen opnieuw zijn betrokken, besluit Rodrigo een beslissing te forceren. De blijden staan op de juiste afstand; de stapels kogels ernaast beloven een vernietigende aanval op de stad. Het gaat Rodrigo aan zijn hart de uitgehongerde bevolking te bekogelen. Was er geen andere, betere mogelijkheid, de stad op korte termijn in te nemen?

Ineens krijgt hij een inval! Als hij in plaats van kogels een voedselregen zou laten neerdalen, zou dat de mensen niet met één klap aan zijn kant brengen? Zouden ze dan inzien dat hij niet hun vijand was, maar hun redder?

Hij is zó verrukt over zijn eigen inval dat hij onmiddellijk de broodrantsoenen van de soldaten laat innemen. De bakkers krijgen opdracht nieuwe aan te maken.

Een wonderlijk schouwspel volgt. Soldaten die stapels kogels vervangen door stapels brood! Rodrigo besluit de broodbekogeling door een korte redevoering te laten voorafgaan. Hij rijdt op zijn paard onder langs de muur, waarop zich de uitgehongerde verdedigers van de stad bevinden.

'Soldaten!' roept hij zo luid hij kan, 'burgers van Valencia! Wij moesten u honger laten lijden, maar we willen u niet doden! Wij zijn niet uw vijand. Ben Yusof is uw vijand! Hij brengt u dood en vernietiging. Burgers van Valencia! Bevrijd u van uw leiders en voeg u bij ons! Wij brengen vrede! Wij brengen vrijheid! Wij brengen leven! Wij brengen brood!'

Op een teken van Rodrigo gaan de blijden in actie en een regen van brood daalt op de uitgemergelde mensen neer.

'Brood! Brood! Brood!' loeien de soldaten buiten de muur en een nieuwe levenbrengende regen komt aansuizen.

In de straten van Valencia raken de burgers slaags om een brood te bemachtigen. Men stort zich erop, men rukt gillend aan elkaars kleren, men probeert elkaar de stukken uit de hand te scheuren.

Zeker is een brodenregen te verkiezen boven kogels, maar ook die vredelievende aanslag kost velen het leven, omdat de mensen, in hun woeste begeerte het brood te bemachtigen, hun medeburgers

onder de voet lopen en vertrappen.
Gelukkig zijn er nog anderen, die zich aan de algemeen heersende hysterie weten te onttrekken, en die gevolg geven aan de oproep tot verzet. Zij banen zich een weg naar de poort, die met zware balken en ijzeren staven is vergrendeld. Op de schouders van kameraden staand, beginnen er twee de bovenste balk los te werken.
Op dat ogenblik rent een Moorse wachter het vertrek van Al Kadir binnen.
'Mijn heer! El Cid ondermijnt ons met voedsel! Uw uitgehongerde soldaten hebben de muren verlaten en maken gemene zaak met de burgerij!'
Het ging Al Kadir de laatste tijd al niet zo goed.
Niets kon tot de omsingelde stad doordringen en, al leed hij niet bepaald honger, hij moest het toch zonder bepaalde delicatessen stellen. Een mals schapenboutje had hij al lang niet meer geproefd. Er was geen schaap meer in leven, evenmin als enig ander dier waarmee hij zich tevreden had kunnen stellen. Zelfs de mooie meisjes vermagerden zienderogen en hij kon geen behagen meer scheppen in hun vormen.
Nee, het leven in een belegerde stad was voor die levensgenieter allerminst een vreugde.
Ook Ben Yusof liet op zich wachten. Had hij zijn lijfgarde niet achtergelaten, dan zou Al Kadir misschien tot een zekere verstandhouding hebben kunnen komen met de mannen buiten de muren. Dat was nu volstrekt onmogelijk, aangezien er op al zijn bewegingen werd gelet. Het was allemaal hoogst onaangenaam en ontmoedigend, en nu dit! Brood in plaats van kogels! En zijn eigen soldaten aan het muiten! Al Kadir zwaait wild met zijn armen en stormt naar buiten, onderwijl schreeuwend: 'Sla ze dood! Roep de lijfgarde! Ze deserteren!'
De lijfgarde, het eliteregiment dat Ben Yusof had achtergelaten, diende in de eerste plaats om toe te zien op de naleving van het bestand met Al Kadir, de stad te houden en geen gemene zaak te maken met de vijand. Ben Yusof, hard voor zichzelf, kende het

type dat voortdurend uit was op bevrediging van de zinnen en zich onder alle omstandigheden liet verwennen met de goede dingen van het leven. Zulke mannen waren gevaarlijk, omdat ze in tijden van ontbering onbetrouwbaar werden.

Nu, gemene zaak met Rodrigo had Al Kadir niet kunnen maken! Maar hij had toch emplooi gevonden voor de lijfgarde: de muiterij neerslaan! De orde herstellen! Soldaten op hun post! Maar zelfs enkele tientallen vervaarlijke houwdegens kunnen het niet bolwerken als een hele stad in opstand komt. Voor enkele neergemaaide burgers staan er onmiddellijk anderen in de plaats, en de soldaten laten zich zelfs van de muren bovenop de kerels vallen en steken hun een mes tussen de schouderbladen. Ondertussen gaat het werk aan de poort gestadig voort.

Heeft de garde in één enkele charge de eerste vier neergeslagen die bezig waren de houten balk los te werken, de volgende vier gingen zonder aarzeling aan het werk om het werk voort te zetten.

Al Kadir heeft zich via een geheime ondergrondse gang naar de buitenste gordel van de stad begeven, waar hij de borstwering beklimt. Hij wil de toestand in ogenschouw nemen. Hij wil zijn persoonlijk gezag in de schaal werpen. Hij wil, kortom, laten zien dat er met hem niet te spotten valt.

Hij wordt met gejuich begroet en verkeert een ogenblik in de veronderstelling, dat men oprecht verheugd is hem te zien. Hoe diep is zijn ontgoocheling, als het gejuich overgaat in kreten als: 'Hang hem op! Vierendeel hem!' en de mannen met dreigende gezichten op hem afstormen. Al Kadir maakt rechtsomkeert.

Waarheen? Waarheen? is zijn angstige vraag. Hij kan maar één kant uit: vooruit, want achter hem aan rennen zijn belagers. Dan schijnt Allah te beschikken dat er aan zijn onwaardige leven een einde moet komen, want nu doemen ook vóór hem mannen met barse gezichten op.

Al Kadir wordt ingesloten, opgepakt en met een zwaai naar beneden gegooid. Opgetogen kreten begeleiden zijn val, en nadat gebleken is dat hij daar beneden in het vuur is terechtgekomen, komt er aan het gejubel geen einde. Al Kadir komt jammerlijk in de vlammen om. De lijfgarde vergaat het niet veel beter. Waren hun gelederen al uitgedund door de doodsverachting van de burgers en de heldenmoed van de soldaten, hun definitieve einde komt als de poort wordt geopend en de binnendringende mannen van Rodrigo korte metten met hen maken.

De Valencianen zijn buiten zichzelf van vreugde. Vermagerd en verzwakt als ze zijn, staan ze in dichte drommen de binnenkomende troepen toe te juichen. Een grijsaard biggelen de tranen langs de wangen; vrouwen knielen en danken God voor de redding...

De broodbekogeling heeft zijn uitwerking niet gemist. Zonder verliezen aan eigen zijde en met geringe aan de zijde van de Valencianen, is de stad binnen enkele uren in handen van Rodrigo.

Niet zonder voldoening betreedt hij het paleis, gevolgd door zijn vrienden die hem proberen te overreden zichzelf tot koning uit te roepen. Om beurten betuigen ze hun trouw, hun aanhankelijkheid, hun genegenheid. Voor hem hebben ze gestreden en hem willen ze als gebieder. Moutamin dringt zich naar voren, de kroon van Valencia op een fluwelen kussen in beide handen houdend.

'Heer Cid, wij hebben alles voor u opgegeven. Wij smeken u de kroon te aanvaarden...'

Het is een groots moment in het leven van Rodrigo, die toch bij al zijn overwinningen nooit op persoonlijke glorie is uitgeweest. Hij heeft zichzelf altijd beschouwd als een onderdaan, zelfs op de dag dat hij zijn koning in het openbaar ter verantwoording riep. Gaf hij toen blijk van persoonlijke moed, nu bewijst hij zijn onverbrekelijke trouw aan het koningshuis. Hij neemt de kroon van Moutamin over en richt het woord tot de samengedromde menigte.

'Ik neem hierbij Valencia in, namens mijn soevereine vorst Alfonso, koning van Castilië, Leon en Asturië, koning van christenen en Moren. Valencia voor Alfonso, bij de gratie Gods, koning van Spanje!'

Hoewel zijn vrienden zijn besluit respecteren, voelen ze toch een zekere teleurstelling, om redenen die misschien het beste tot uitdrukking komen in Moutamins verzuchting: 'Wat een nobele onderdaan. Had hij maar een nobele vorst.'

Beter ten halve gekeerd...

Waarin een kroon valt,
een zuster valt,
en een koning opstaat...

Alfonso was na de nederlaag bij Sagrajas niet meer helemaal de oude. Hij werd nors en prikkelbaar en had buien van diepe neerslachtigheid. Zelfs zijn zuster, zonder wie hij het vroeger geen uur of dag kon stellen, kon hem niet troosten. Het was zelfs voorgevallen dat Alfonso Urraca vroeg hem eindelijk eens alleen te laten.
Die nieuwe ontwikkeling was op gang gebracht door de nederlaag bij Sagrajas, maar daarna gestimuleerd en versneld door een tweede incident dat voor Alfonso van de grootste betekenis was: het overlopen van Don Garcia Ordoñez naar Rodrigo. Vergeleken daarbij verbleekte het belang van de verdwijning van Jimena en de kinderen.
De daad van Don Garcia was des te opmerkelijker, omdat hij aan het hof beschouwd werd als een kritiekloze aanhanger van de koning.
Alfonso en Urraca zagen Ordoñez altijd als een persoonlijk bezit en wie staat er nu bij stil dat persoonlijke bezittingen zouden kunnen vertrekken? Maar het was gebeurd en het gaf Alfonso het gevoel alsof hij eensklaps weerloos in een vijandelijke wereld stond. Als Ordoñez kon overlopen, was er niemand meer te vertrouwen.
Er ontstaan twisten tussen Alfonso en Urraca. Alfonso ziet zijn legermacht ineenschrompelen en zijn invloed verminderen. Hij wordt ongedurig en recalcitrant. Urraca, die haar kwijnende gezag over Alfonso niet kan aanvaarden, overstelpt hem met verwijten.

Dan verschijnt op zekere dag Fañez met de kroon van Valencia, die hij eerbiedig aanbiedt. Alfonso weet niet wat hem overkomt. Al was hij eraan gewend regelmatig geschenken van Rodrigo te ontvangen, dit geschenk overtreft alle vorige... Met een blijde uitdrukking op zijn gezicht strekt hij de handen uit naar de kroon, als een gevoel van achterdocht zich van hem meester maakt. Hij trekt zijn handen weer terug.
'Wat zijn er voor condities?' vraagt hij Fañez, die hem antwoordt: 'Er zijn geen condities.'
'Géén condities?' vraagt Alfonso verwonderd. 'Terwijl ik zijn vrouw en kinderen...'
Fañez valt hem in de rede. 'Daarvan was hij op de hoogte. Desondanks stelt mijn meester geen condities.'
'Hij stuurt mij zómaar de kroon van Valencia? Wat voor soort man is hij eigenlijk?'
Terwijl Urraca de kroon van Fañez overneemt, herinnert hij zich die vraag eerder gesteld te hebben. Bij welke gelegenheid was dat geweest? Alfonso zoekt en graaft in zijn verleden en komt onvermijdelijk bij Sancho. Sancho, die hem door dertien bewakers naar Zamora had laten brengen en Rodrigo, die hem alleen en zonder hulp had bevrijd.
Flarden herinneringen... boze herinneringen. De moord op Sancho, de meineed, de slapeloze nachten...
Daarna leek alles te mislukken.
Urraca onderbreekt zijn gepeins.
'Rodrigo verlangt iets van je.' Ze bijt Fañez toe: 'Zeg ons wat hij verlangt.'
'Sire, mijn meester vraagt niets,' antwoordt Fañez geduldig, maar dan voegt hij er hartstochtelijk aan toe: 'Maar ík vraag iets, Uwe Majesteit! Mijn meester heeft hulp nodig om Valencia te verdedigen tegen Ben Yusof!'
Het is Urraca die het antwoord geeft. Alfonso krijgt niet eens gelegenheid te antwoorden op het aan hem gerichte verzoek. 'Zeg uw meester dat we zijn hulp niet meer zullen vragen, en dat hij die

ook niet van ons kan verwachten. Verdwijn nu!'
'Wie heeft meer gedaan voor Spanje en voor u?' vraagt Fañez.
'Scheer je weg!' gebiedt Urraca met boze ogen. Dan wendt ze zich tot haar broer. Haar trekken verzachten zich en haar stem wordt beminnelijk. Ze houdt Alfonso het kussen met de kroon voor.
'Kijk, nu ben je ook koning van Valencia!'
Maar de schellen zijn Alfonso van de ogen gevallen. Hij komt overeind met een vastberaden trek op zijn gezicht. 'Ik koning van Valencia! Ik bén geen koning, maar ik zal mezelf koning maken!'
Na die woorden duwt hij zijn zuster van zich af, die haar evenwicht verliest en achterover tuimelt. De kroon van Valencia rolt als een nutteloos voorwerp over de grond.
'Alfonso!' gilt Urraca verbijsterd.
Maar het is te laat. Alfonso gaat de verdwijnende Fañez achterna. Zo heeft de ontrouw van Don Garcia nóg een goede zijde. Alfonso heeft zichzelf ontdekt en gaat, voor het eerst van zijn leven, zijn eigen weg. Urraca's rol is uitgespeeld.

De strijd ontbrandt

Waarin Don Garcia de marteldood sterft,
de invasievloot nadert,
en Rodrigo gewond raakt...

Don Garcia heeft een eervolle, maar gevaarlijke opdracht ontvangen. Buiten de beschermende muren van Valencia moet hij de troepen van Ben Yusof opsporen, en alle gegevens verzamelen die voor de verdedigers van de stad van belang kunnen zijn.
Helemaal alleen begeeft hij zich op pad, maar hoog te paard en op het strand waar heuvel noch boom is om zich verdekt te kunnen opstellen, is hij te makkelijk zichtbaar om ongezien te blijven.
Dat deel van de vijandelijke troepen dat al aan land is gegaan, bevindt zich niet op het strand, maar enkele honderden meters landinwaarts. Van daaruit is Don Garcia te zien en men laat hem rustig tot op korte afstand naderen. Na een korte, hevige schermutseling wordt hij gegrepen en voor Ben Yusof geleid. Aan zijn kleding ziet de leider van de Almoraviden dat hij een voorname gevangene in handen heeft; een die ongetwijfeld belangrijke inlichtingen kan geven.
Hij ondervraagt Don Garcia op snijdende toon, het hoofd met de felle ogen dicht bij dat van zijn gevangene, die in weerzin achteruit deinst. Maar Don Garcia laat niets los. Hij heeft uiteindelijk zijn keuze gemaakt en is bereid daarvan de consequenties te aanvaarden. Hij ziet wel in dat het niet meer mogelijk is uit zijn hachelijke positie ontkomen.
'U wilt niet spreken,' sist Ben Yusof hem toe, 'maar wij hebben wel middelen om u wat mededeelzamer te maken!'

Er wordt een kruis vervaardigd in Don Garcia's aanwezigheid en terwijl daaraan gewerkt wordt, onderwerpt Ben Yusof zijn gevangene aan een kruisverhoor. Maar zelfs de naderende folterdood maakt zijn tong niet los. Hij wordt, net als eens een lichtend voorbeeld, aan het kruis genageld. Zijn lijden is met geen pen te beschrijven. Het bloed stroomt langs zijn handen en voeten; het zweet gutst langs zijn hoofd en langs zijn lichaam naar beneden, maar Don Garcia klemt zijn lippen op elkaar en zwijgt...
De beul komt met een gloeiend ijzer aandragen en brandt een kruis op zijn borst. Het ijzer sist tegen de natte huid en een gruwelijke stank van verband vlees drijft Ordoñez' neus binnen. Dan opent hij zijn lippen om te spreken, maar de woorden die hij uit, zorgen ervoor dat Ben Yusofs haat feller oplaait.
'Als een man toch moet sterven, dan is het beter te sterven voor een goede zaak!'
'En welke goede zaak mag deze foltering wel waard zijn?'
'El Cid,' antwoordt Don Garcia.
'El Cid!' Ben Yusof snuift minachtend. 'Hij is een gewone man, zoals andere mannen. Hij kan sterven, zoals andere mannen. Ik zal hem doden, zoals ik u dood.'
'Hij zal niet sterven.'
'Hoe durft u over hem denken, zoals wij over onze Profeet?'
Ben Yusof nadert hem met van waanzin gloeiende ogen. De ponjaard in zijn handen kaatst de zonnestralen terug en als een glanzende lichtstraal heft hij hem omhoog...
'Dit is meer dan een strijd tussen mensen! Dit is uw God tegen de onze!' ... en Ben Yusof drijft de vlijmscherpe ponjaard met kracht diep in Don Garcia's hart. Een laatste rauwe kreet ontsnapt diens lippen.
Don Garcia Ordoñez heeft zijn leven geëindigd als een held.

In Valencia begint Rodrigo zich bezorgd te maken over het lange uitblijven van Ordoñez. 'Is Don Garcia Ordoñez nog niet terug, Bermudez?'

Een ontkennend antwoord volgt. Rodrigo begeeft zich naar de borstwering. Misschien kan hij hem van daaruit ontdekken. Maar op het strand is niets te zien. Op zee daarentegen des te meer. Een vloot van vele kleine schepen nadert de kust. Bij het zien van die dicht op elkaar zeilende vloot vergeet Rodrigo dat hij gekomen was om naar Ordoñez te zoeken.
Hij moet voorkomen dat de stad omsingeld wordt. Na de voorafgaande belegering zijn alle voorraden uitgeput en hij kan van geen enkele kant hulp verwachten. Weliswaar is zijn leger met de mannen van Ordoñez aangevuld, maar dat is een geringe vermeerdering van de totale strijdmacht, en naar wat hij ziet, beschikt de vijand over een grote overmacht.
Hij moet het van de verrassingsaanval hebben.
Zijn ervaring heeft hem geleerd dat een onverwacht uitgevoerde manoeuvre op het juiste moment, een sterkere vijand kan verslaan. Bovendien is hij met zijn kleine leger beweeglijker en daardoor sneller dan Ben Yusof met zijn plompe invasieleger. Hij zal die voordelen moeten uitbuiten.
Inmiddels heeft Moutamin zich bij hem gevoegd. Met bezorgde ogen ziet die de vele schepen, die met hun zwarte zeilen dreigend de kust naderen.
'Ben Yusofs armada,' zegt hij. 'We moeten aanvallen voordat ze ontschepen.'
Dat was ook Rodrigo's idee. 'We zullen voorkomen dat ze zich bij de eenheden kunnen voegen die al geland zijn. Laten we gaan.'

Enkele uren later...
De vijandelijke schepen hebben zich onder de kust verzameld ter ondersteuning van de landstrijdkrachten, die zich in de gebruikelijke slagorde opstellen.
Vooraan het voetvolk met schilden en speren, daarachter de boogschutters, terwijl de cavaleristen, die met lans en kromzwaard zijn uitgerust, voorlopig op de achtergrond blijven. Een angstaanjagend onderdeel van Ben Yusofs strijdmacht vormt de tamtam. Het ge-

luid daarvan brengt de eigen mensen in vervoering. Zij kunnen er angst en pijn door vergeten en slaan daardoor met niets ontziende moordlust op hun vijand in. Maar de niet-mohammedaanse strijder ondergaat dat geluid als een dreiging. Het is als een oergeluid, dat boze geesten oproept en al menig christenstrijder op de vlucht deed slaan. Alfonso had dat bij Sagrajas al ondervonden. Er is een stevig geloof en een diep vertrouwen nodig om onder dat sinistere getrommel de koelbloedigheid te bewaren. De zwart gemaskerde tegenstanders naderen langzaam maar onafwendbaar de stad. Het geluid van de tamtam dringt tot in de verste uithoeken door.
Jimena is naar haar man gegaan om afscheid te nemen. Haar ogen zijn groot van ontzetting als ze de zwarte massa ziet aangolven, en de donkere, alles doordringende cadans van de tamtam doet haar huiveren. Vol angst grijpt ze zich aan Rodrigo vast, die zijn armen kalmerend om haar heen slaat.
'Ik begrijp wat je voelt... dit is altijd het moeilijkste ogenblik, als je een onbekende vijand tegenover je hebt.'
'Je hebt dit al honderden keren meegemaakt. Waar heb je altijd weer opnieuw de moed vandaan gehaald? Ik moet het weten!'
'Ik wou dat ik het wist. Elke soldaat moet die elke keer opnieuw op zijn eigen manier proberen te vinden. Maar kom, liefje, naar deze strijd hebben we zolang uitgekeken. Het is de laatste. Als we hebben gewonnen zal er vrede zijn...'
Teder kust Rodrigo zijn vrouw tot afscheid. Dan verlaat hij haar en geeft zijn manschappen bevel tot verzamelen.
Onder luid geroep van 'Voor God, voor Alfonso en voor Spanje!' worden de poorten van de stad geopend en stormen de ruiters, onder aanvoering van Rodrigo, naar buiten. Kleine eenheden worden voor latere inzet achtergehouden.
Het strand dreunt onder de paardenhoeven, als de ruiters in een lange, smalle falanx recht op de tegenstander af draven, aldus een wig drijvend in de vijandelijke linie. De soldaten slaan hevig op de vijand in en als ze, in hun snelle actie, het leger van Ben Yusof over de hele diepte in tweeën hebben gespleten, drijft de helft van de

ruitermacht onder leiding van Rodrigo een deel van de Almoraviden naar zee. De andere helft, onder aanvoering van Moutamin, jaagt de vijand in de richting van de heuvels. De achtergehouden eenheden zijn inmiddels landinwaarts getrokken en vallen van die kant de vluchtende troepen van Ben Yusof aan. Tegenstanders die aan de omsingeling weten te ontkomen, worden opgevangen door een regen van pijlen, terwijl de soldaten met schild en speer een ware muur vormen tussen de boogschutters en de vijandelijke cavalerie.

Het is een verwoede strijd. Paarden steigeren, briesen, snuiven en rollen in doodsangst met hun ogen, ruiters worden met één slag onthoofd.

Het is een wilde warreling van paarden en mannen, van wapperende kleding en flitsende zwaarden. Pijlen schieten door de lucht en maken in hun blindheid geen verschil tussen vriend en vijand. Daar rent een dolgeworden paard zonder ruiter, het lichaam vol pijlen. Het werpt zich op de grond en wentelt zich om van pijn, totdat het, met de benen omhoog, stil blijft liggen.

Ginds sleept zich een zwaargewonde door het zand; een voorbijsnellende ruiter klieft zijn schedel.

Rodrigo maakt met zijn snelle actie een groot aantal slachtoffers, maar Ben Yusof brengt meer soldaten in de strijd en weet door te dringen tot de muur van schilden en speren.

De eerste golf loopt zich te pletter op de schuin omhoog gerichte speren, maar de tweede golf rolt al aan. De boogschutters sturen een nieuwe vlucht pijlen en de aanvaller deinst achteruit.

Rodrigo heeft met zijn mannen een waar bloedbad aangericht. De lijken drijven in zee en het water kleurt zich rood.

De zwarte schepen zeilen dichter naar de kust toe. Op het dek bevinden zich boogschutters, die hun pijlen op de vechtenden afvuren. Maar de wind doet ze afdrijven, zodat het grootste deel in zee terechtkomt.

Dan ziet Fañez, dat zijn meester, die met Babieca in de branding staat, een beweging maakt alsof hij een hevige slag tegen zijn borst

heeft gekregen. Hij zit zwaaiend in het zadel en drukt een hand tegen zijn borst.
Babieca steigert wild en hinnikt luid. Fañez geeft zijn paard de sporen en ziet dat een van de afgedreven pijlen Rodrigo in de borst heeft getroffen. Rodrigo geeft bevel alle strijdkrachten onmiddellijk terug te trekken naar de stad. Maar Fañez is niet de enige die heeft gezien dat Rodrigo werd geraakt. Ook van de schepen heeft men zijn bewegingen gezien en daaruit de conclusie getrokken: 'El Cid is gewond!'
Het gaat als een lopend vuurtje door de gelederen van christenen en Almoraviden. Het bericht bereikt Ben Yusof, die Allah dankt voor zijn onverwachte bijstand. De vijand had een gevechtskracht ontwikkeld waarop hij niet had gerekend, maar die de soldaten, naar hij begrijpt, ontlenen aan hun vertrouwen in El Cid. Als die gewond is, betekent dat in elk geval tijdwinst. En die heeft hij hard nodig om zijn gedunde gelederen te versterken.

Binnen de veilige muren van Valencia wordt de gewonde Rodrigo van zijn paard geholpen. Het is zaak zijn verwonding zoveel mogelijk verborgen te houden. Hij steunt tegen de muur, grijpt met zijn linkerhand de schacht van de pijl stevig beet, zodat de punt niet kan bewegen en breekt dan met zijn rechterhand de schacht zo dicht mogelijk bij zijn borstkas af.
'Morgen vallen we opnieuw aan,' zegt Rodrigo tot Fañez, terwijl hij zijn schild voor de pijlstomp houdt.
'U zult tijd nodig hebben om op krachten te komen,' antwoordt Fañez, die het bloed onder het schild in Rodrigo's kleren ziet dringen.
'Morgen,' volhardt Rodrigo koppig. 'De vijand zal zich versterken, terwijl wij verzwakken.'
'Maar heer...' stribbelt Fañez tegen.
'Geen woord meer, Fañez! Tref je voorbereidingen. En ga nu terug en dek de aftocht.'
Fañez verlaat zijn meester met tegenzin en als hij buiten de muren

gekomen de wanordelijke terugtocht ziet, neemt hij de leiding, kalmeert de mannen en voert hen de poort binnen.
Intussen hadden de Almoraviden zodanige verliezen geleden dat ze opgelucht waren de strijd te kunnen onderbreken.

Rodrigo's dood

Meer wankelend dan lopend, ondersteund door Bermudez, bereikt Rodrigo het slaapvertrek dat vroeger aan Al Kadir toe behoorde. Hij strekt zich uit op het bed. Elke ademhaling bezorgt hem een verscheurende pijn. Rondom de schacht welt uit de wond het bloed op dat Moutamin probeert te stelpen. Dan richt hij zich tot Jimena.

'Hij zal veel bloed verliezen, maar de pijl moet verwijderd worden.'

Jimena draagt een eenvoudige, zwarte jurk, waarbij de plotselinge bleekheid van haar wangen sterk afsteekt.

'Maar... zal hij blijven leven?' vraagt ze angstig.

'Als de pijl eruit is heeft hij een kans. Zo niet, dan zal hij binnen enkele dagen sterven.'

'Jimena!' Het is Rodrigo die gebiedend roept, en Jimena snelt naar het bed toe. Ze knielt neer en legt haar hoofd tegen zijn schouder. Om haar het zicht op de uit zijn borst stekende schacht te besparen, trekt Rodrigo er een doek overheen.

'Jimena,' zegt hij ernstig. 'Morgen moet ik de aanval leiden.'

Ze protesteert. 'Als de pijl niet verwijderd wordt, zul je zeker sterven.'

'Niet voor morgen. Dat is alles wat ik nodig heb.'

Jimena kust zijn vingers en antwoordt wanhopig: 'Het is niet alles wat ik nodig heb.'

Rodrigo beseft heel goed, dat Ben Yusof morgen verslagen móét worden. Er is geen keus. Een verloren strijd betekent een verloren Spanje. Dan is er voor zijn vrouw en zijn kinderen geen leven meer mogelijk. Hij kent zijn tegenstander. Als die zou winnen, zou dat het einde betekenen. Niet alleen voor de mensen hier om hem

heen, maar eveneens voor die duizenden soldaten, voor wie hij zich verantwoordelijk voelt.
'Wat zou je nog resten als we de slag verloren?'
'Er zijn andere aanvoerders.'
Rodrigo overweegt de mogelijkheden, maar hij realiseert zich dat de soldaten, die uiteindelijk het werk moeten doen, hun bezieling aan hém ontlenen. Níét aan een andere aanvoerder, hoe bekwaam ook.
'Jimena, ze hebben mij tot de ziel van de strijd gemaakt. Ze kunnen me niet missen.'
'Maar de kinderen en ik kunnen je ook niet missen. Je bent gewond, je hebt rust nodig,' snikt zij.
Diep in haar hart weet Jimena dat ze voor een verloren zaak strijdt, maar ze wil nog niet opgeven. Hij is haar man en de vader van haar kinderen. Het is zo'n kostbaar leven.
'We zouden je naar Bivar kunnen brengen. Daar kunnen we je beter maken. Ik zal wel zorgen dat je blijft leven.'
Rodrigo streelt zijn vrouw peinzend over het hoofd. 'We hebben zo weinig tijd samen doorgebracht en toch heb ik het gevoel...'
'Je mag niet, je mag niet!' valt Jimena hem hartstochtelijk in de rede. 'Je moet leven!'
'En toch,' gaat Rodrigo verder, 'heb ik het gevoel dat wij beiden meer hebben gehad dan anderen, die een heel leven hebben gedeeld.'
Jimena laat zich nu geheel door haar smart meeslepen. 'Ik wil méér, Rodrigo! Ik kan je niet missen!'
Als Rodrigo weer spreekt, is er een andere klank in zijn stem te horen, een zekere terechtwijzing.
'Jimena, mijn leven kun je niet redden. Je moet me helpen het op te geven.' Ze heeft de klank in zijn stem herkend en als bij toverslag verstomt haar gesnik.
Daar, op dat bed, ligt niet zo maar een man te sterven. Daar ligt de grootste en dapperste legeraanvoerder van zijn tijd: El Cid, de campeador. Dit is geen toegeëigende naam, néé, die is verwor-

ven in moeizame strijd, onder de grootste ontberingen en gevaren. En een man die boven de gewone menselijke proporties is uitgegroeid, heeft recht op een vrouw die op haar manier tot grootheid in staat is. Zo al niet op het slagveld, dan toch in ieder geval aan het sterfbed van haar man, die tot zijn laatste ademtocht voor Spanje op de bres staat.

Jimena komt overeind. Haar ogen laten geen ogenblik het gezicht van haar man los.

'Heer Moutamin,' zegt ze en als die haar genaderd is, vervolgt ze op vlakke toon: 'Het is de wens van mijn echtgenoot dat de pijl níét verwijderd wordt.'

Jimena heeft het doodvonnis van haar man bekrachtigd en Moutamin buigt zwijgend het hoofd.

Geruchten hebben de eigenschap dat ze zich snel verbreiden, en op hun tocht van het ene oor naar het andere, van karakter veranderen. Had het bericht dat El Cid gewond was Ben Yusof al bereikt, niet lang daarna hoort hij een ander: 'El Cid is dood!'

Hij had geen behoefte aan de juistheid ervan te twijfelen, omdat het een bevestiging inhield van een diep gevoeld verlangen. En Ben Yusof was nog menselijk genoeg om te geloven wat hij graag wilde geloven.

'Allah zij geprezen! El Cid is dood! El Cid is dood!' roept hij zijn soldaten toe, die het uitzinnig van vreugde verder schreeuwen, tot de kuststrook van Valencia ervan davert.

'Laat iedereen weten dat El Cid dood is en dat zijn soldaten niet meer durven te vechten!'

Geruchten, vooral als ze uitgeschreeuwd worden, houden niet stil voor muren, ook al zijn die meters dik. Ze vliegen door de lucht en worden door iedereen gehoord. De soldaten van Rodrigo zijn aan grote ontreddering ten prooi.

Ze zijn ervan overtuigd dat de dood van hun meester het eind van alles betekent. Ze trekken hun lippen in verbittering samen en ballen hun vuisten in machteloze woede. Ze vrezen dat de sterke

muur die hen omringt en beschermt, hun doodkist zal worden, waarbinnen zij aan de hongerdood zullen worden prijsgegeven.
Fañez ziet de demoralisatie van de troepen hand over hand toenemen en probeert verder onheil af te wenden door te roepen: 'Ik zeg u dat El Cid leeft en dat hij gezond is. Ik heb hem zelf gezien. Morgen zal hij ons weer aanvoeren in de strijd! U móét me geloven. El Cid lééft!'
Maar de mannen geloven hem niet. Ze halen mokkend hun schouders op. Waarom komt El Cid niet zelf als hij leeft?
Bezorgd keert Fañez naar de ziekenkamer terug.
'Wel Fañez? Wat zeggen ze buiten?'
'Ze zijn zeer hoopvol, heer. Ze willen niets liever dan de strijd voortzetten.'
Rodrigo kijkt Fañez aan en ziet in zijn ogen de angst geen geloof te zullen vinden. Ondanks zijn pijn glimlacht hij.
'Je bent altijd een slechte leugenaar geweest, Fañez. Zeg me maar liever de waarheid.'
Fañez maakt een hulpeloos gebaar. 'Ik kon ze niet overtuigen, heer.'
Rodrigo sluit zijn ogen en komt dan met inspanning van al zijn krachten overeind. Jimena slaakt een kreet en komt naar het bed toe, maar Rodrigo beduidt haar met een korte ruk van zijn hoofd dat ze hem moet laten begaan.
Hij slaat zijn cape om. In de kamer begrijpt iedereen wat er gebeuren gaat.
Rodrigo gaat naar zijn mannen toe.
Zij moeten zien dat hij leeft en horen dat niets hem ervan zal weerhouden morgen met hen ten strijde te trekken. Rodrigo is al erg verzwakt door het bloedverlies en zijn ademnood stijgt bij elke pas. Toch weet hij, steunend langs de muren, het terras te bereiken. Als enkele mannen hun aanvoerder zien, steekt er een wild gejuich op. 'Soldaten! Burgers van Valencia! Laat u niet bang maken door het geluid van de tamtams. Binnen enkele uren zullen ze voorgoed zwijgen. Morgen is onze dag!'

Zijn stem klinkt dof, al is hij nog voldoende te verstaan. Maar de soldaten merken de verandering niet op. Nadat ze aanvankelijk de overtuiging hadden dat hun meester niet meer leefde, is het blote feit dat ze hem kunnen zien en horen al genoeg om hun oude strijdlust weer te wekken.
Rodrigo wankelt terug en laat zich zwaar op het bed neervallen. De inspanning heeft teveel van zijn krachten gevergd. Hij voelt dat hij het niet lang meer zal maken. Hij ziet vlammen voor zijn ogen.
'Jimena!'
Ogenblikkelijk staat ze naast hem en pakt zijn hand.
'Luister naar mij, Jimena. Zelfs als mijn krachten het begeven, dan nog moet ik morgen de aanval leiden.'
'Ja, Rodrigo.'
'Het móét, begrijp je? Levend of dood, maar ik zal te paard zitten en mijn soldaten voorgaan. Je moet mij beloven te doen wat er gedaan moet worden.'
'Ja Rodrigo.'
'Beloof het mij.'
'Ik beloof het.'
Jimena herhaalt het zinnetje enkele keren op fluisterende toon en durft zich niet voor te stellen wat die belofte inhoudt.

De nacht is gevallen over Valencia. Gedekt door het duister nadert het leger van Alfonso de poorten van de stad. Binnen de muur worden de wachters plotseling opgeschrikt door de kreet: 'Open de poort voor de koning!'
In allerijl worden de balken en staven van de zware deuren geschoven en daar draven de paarden naar binnen, aan het hoofd niemand anders dan koning Alfonso. Hij springt haastig uit het zadel en geeft opdracht hem onmiddellijk naar Rodrigo te brengen.
Jimena ligt nog bij het bed van haar man geknield als de deur wordt open gegooid en Fañez met verheugde stem uitroept: 'De koning!'

Alfonso snelt naar het bed toe, waar hij neerknielt en Rodrigo om vergeving vraagt. Moeizaam richt Rodrigo zich op. 'Néé! Mijn koning mag niet knielen. Voor niemand!'
Hij grijpt Alfonso bij de schouders en probeert hem op te heffen. Zijn hele lichaam beeft van inspanning, het zweet gutst in stralen van zijn gezicht. Toch gaat hij voort in die houding te spreken. Het past een onderdaan, zelfs een zwaargewonde, niet te blijven liggen in het bijzijn van zijn vorst.
'Het is voor een man niet gemakkelijk zichzelf te overwinnen. Dat hebt u volbracht... kon ik maar leven om Spanje in vrede te zien...'
'U zult leven,' antwoordt Alfonso. 'Niemand zal ons nu nog kunnen verslaan. We zullen Ben Yusof de zee injagen.'
Uitgeput zinkt Rodrigo in de kussens terug. Met diepe voldoening kijkt hij op naar Alfonso. 'Ik heb niet gefaald. Spanje heeft een koning. Morgen zullen we strijden, mijn koning en ik, zij aan zij...'
Alfonso valt hem instemmend bij, maar zijn bezorgde ogen zien dat hij nog net op tijd is gekomen om zich met Rodrigo te verzoenen.
'Ik zal aan uw zijde zijn,' herhaalt Rodrigo met zwakker wordende stem. Hij strekt zijn arm uit naar zijn vrouw. 'Jimena.' Hij voelt haar hand in de zijne. Ze kust zijn vingers.' Jimena, Jimena...'
'Ja, ja, ik zal het niet vergeten.'
'Ik wens dat jij en de kinderen mij zullen herinneren, als ik naast mijn koning rijd... morgen...'
Een diepe zucht... De greep om Jimena's hand verslapt... Ze houdt de vingers vast, die nooit meer zullen bewegen. Rodrigo is dood.

Diezelfde nacht nog wordt het lichaam van Rodrigo gebalsemd. En als de zon haar eerste licht over de horizon zendt, verschijnt, op zijn majestueuze witte hengst Babieca, Rodrigo, naast koning Alfonso, aan het hoofd van zijn troepen.

Hij zit kaarsrecht in het zadel, de blik strak vooruit en in zijn rechterhand houdt hij de vlag.
De zon werpt een stralenbundel over hem heen en zet hem in een bovenaards licht. Langzaam rijdt hij, als voor de gebruikelijke inspectie, langs de niets vermoedende manschappen.
Dan wordt de poort geopend.
'Voor God! El Cid! En Spanje!' roept Alfonso, wiens kreet juichend wordt overgenomen.
Dan stormen ze naar buiten, El Cid vooraan. De Almoraviden hadden een aanval allerminst verwacht. Nu worden ze zo overbluft door het verschijnen van hun gevaarlijke tegenstander, die ze dood waanden, dat ze in paniek op de vlucht gaan.
Ben Yusof probeert hen nog met bezwerende gebaren te weerhouden, maar een bijgelovige angst grijpt ook hem aan als hij Rodrigo recht op zich af ziet komen. Een ogenblik later is hij onder de hoeven van Babieca verpletterd.
De soldaten hebben geen moeite meer met de Almoraviden. Ze vluchten in zee en proberen de boten te bereiken.
De slag om Valencia is geëindigd in een glorieuze overwinning van El Cid. En daar, waar zee en zand elkaar ontmoeten, rijdt Babieca, door geen teugel naar links of rechts gemend, voort, voort, steeds verder, voorbij de horizon…
Zijn meester op zijn rug, de vlag wapperend in de hand. Aldus reed Rodrigo Díaz de Bivar, bekend als El Cid, door de poorten van de historie de legende binnen…
Op het strand knielt Alfonso. 'Hemelse vader, open uw armen om hem te ontvangen, die leefde en stierf als een dapper mens.'